AI DRIVEN

AIで進化する人類の働き方

JOICHI ITO
伊藤穰一

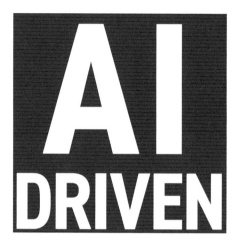

はじめに

ほとんどのテクノロジーは、徐々に成長していくものです。しかし、ごく稀《まれ》に、全世界が注目する「魔法の瞬間」があります。テクノロジーと一般市民との関係が、劇的に変わる重要な出来事や、革新が起こるのです。

インターネットの歴史においては、ネットスケープ（1990年代に存在した、インターネット関連ソフトウェア、Webブラウザの開発や販売を手がけていたアメリカ企業）のブラウザの誕生や、グーグルの検索エンジンの登場などがその例といえるでしょう。

そして、AIにとっての重要な瞬間の1つが、2022年11月30日に公開され、最近、多くの人たちに知られるようになってきたChatGPTです。

ChatGPTを支える大規模言語モデル（LLM：Large Language Model）は数年前から存在していました。AIの歴史は古く、1950年代から発展し、近年では自動運転や音声認識といった形で私たちの生活に登場しています。

しかし、ChatGPTなどのジェネレーティブＡＩ（人間の出すオーダーに答えて、テキストや画像などの生成物をつくり出すことのできるＡＩ。生成ＡＩとも呼ばれる）によって、僕たちが日常で用いる「言葉」を使って洗練されたＡＩシステムと「会話」ができるようになったことは、まさに魔法のような出来事でした。

こうして、ＡＩシステムを設計するプログラマーと同じように、すべての人がＡＩと直接やり取りすることができるようになったのです。

iPhoneに搭載されているSiri《シリ》やアマゾンが提供するAlexa《アレクサ》などの音声認識ツールは、コンピューターと話す経験を提供してくれましたし、断片的に言葉を入力するだけで、その先を読み取って言語化してくれる仮名漢字変換システムは、シンプルなジェネレーティブＡＩに似た体験を僕たちにさせてくれました。

しかし、ChatGPTはそれらよりもはるかに賢く、創造的で、まるで人間のように感じられます。実際、「ChatGPTは意識を持っている」と信じている人も多く存在します。

ChatGPTは、リリースから2カ月で、ユーザー数が1億人を突破し、歴史上最も急速に普及した消費者向けアプリケーションの1つとなりました。

オリジナルのChatGPTは、ＬＬＭモデルのGPT-3.5をベースにしています。はじめて触れたとき僕は、「賢い小学生と同等の理解力を持っている」と感じました。

現在のChatGPTは、GPT-4をベースにしており、大学生が半日図書館で過ごしてある「問い」に対する答えを考えるのと同じくらいの知能があるように感じます。

ChatGPTは「優等生」である一方で、しばしば嘘をつきます。ChatGPTは、非常にはっきりとした口調で「答え」をいいます。その中には、正しい情報とエラーが混在しています。

エラーが混在しているにもかかわらず、まるで真実をいっているように感じられることから、テクノロジー業界ではこの現象を「幻覚（hallucination）」と呼びます。また実在しない情報をでっちあげることもあります。

最新バージョンのGPT-4では、回答の正確性は向上してはいるものの、これらのエラーはChatGPTを使用する上で、僕たちにとって大きな障壁です。

僕たちは、現時点においてChatGPTを重要な決定を下すための確かな事実を提供するツールとしてではなく、専門家の生産性を大幅に向上させるツールとして使用するべきだと思います。

実際、ChatGPTは、事実を検索する検索エンジンとしてではなく、アイデアを出し合うパートナーや、様々な種類のドキュメント用の叩き台を作成したり、ドキュメントに対して提案を行ったりするcopilot（副操縦士）とするほうが、有用だと思います。

ジェネレーティブＡＩを支えるＬＬＭは今、「劇的な成長フェーズ」にあります。ＡＩへの世間的な関心が急速に高まり、ＬＬＭやＡＩは今後数年間で私たちの生活に大きな影響を与える可能性が高いでしょう。

これまでＡＩは、一部の専門家やテクノロジー好きの人たちが有する「専門知識（教養）」でした。それ以外の人たちは、ＡＩについてよく知らなくても、現状のパフォーマンスや将来性にそれほど差は出なかった。しかし、これからは違います。

自分の生産性を上げることに、ＡＩはいかに寄与しうるか。この点を理解し、実際に活用できるようになれば、ＡＩはもはや「未知なるテクノロジー」ではなく、「有能なアシスタント」「伴走者」「パートナー」になります。

ジェネレーティブＡＩによって、僕たちは、面倒な仕事やチームワーク、マネジメントや組織のあり方を一瞬で劇的に効率化することができます。個人の働き方、生き方は元より、会社組織や教育、文化などあらゆる領域に大きな影響を及ぼしていくことは間違いありません。

ならば僕たちは、ジェネレーティブＡＩをどのように使っていくべきか。ジェネレーティブＡＩを、うまく使えるようになった人から大きく飛躍していく時代は、もう始まっています。

ＡＩが何であり、それがどのようにあなたの人生や周囲の世界に影響を与えるかを理解することが非常に重要です。

この本では、実践的な例や説明を用いて、ＡＩとの関係を築き、ＡＩを理解する旅を始めるお手伝いができればと思います。

また、ＡＩが発展する中で生じているリスクや諸問題に対しても注意を払いながら、ＡＩを頼もしい copilot として活用する方法もお伝えしていきます。

新時代を生き抜くリテラシー、「AI DRIVEN」な働き方・生き方を習得し、活躍のチャンスを手にすることに本書を役立てて頂けたら、著者としてたいへん嬉しく思います。

さあ、ジェネレーティブＡＩの可能性を探る旅に出発しましょう！

第1章

仕事
僕たちの役割は「DJ的」になる

第2章 学び方

必要な学びをそれぞれが選択するようになる

第3章 イノベーション
創造は「ゼロからイチ」ではなくなる

発想力　自力でひねり出す から 草案に自分流のアレンジを加える へ

第4章

リーダーシップ

「人間を見る力」が問われる時代になる

チームビルディング　会社を起点として生まれる　から　誰もが組織を運営できる　へ

AI＋DAOで実現する「フェアな組織」

リーダーシップ　カリスマ性で牽引する　から　文脈を読む力で人望を集める　へ

AI時代のリーダーの条件

第5章 新時代をサバイブするためのAIリテラシー

序章

AI DRIVENで生まれている、世界のメガトレンド

オーダーに対して「正解の選択肢」を与えるAIから
オーダーに対して「プランを提案」するAIへ

ジェネレーティブAI（生成AI）で変貌する世界

ジェネレーティブAIとは何か

AI（人工知能）は、今まで半世紀以上の年月をかけて研究開発が進められてきました。その発展や技術の驚異的な成果を礼賛する一方で、「人間の仕事を奪う脅威」と見なす人々も存在しています。「AIによってなくなる仕事、生き残る仕事」といった議論を見かけたことのある方は多いでしょう。自身の仕事と照らし合わせ、漠然とした不安を抱いてきた方もいらっしゃるかもしれません。

「人工的な知能を人間社会に役立てる」という発想自体は、それほど新しいものではありません。普段、ＡＩの存在を意識する機会は少ないかもしれませんが、ＡＩを用いたサービスは、すでに様々なレベルで僕たちの生活に浸透しています。

ここ十数年間のＡＩについてシンプルに言い表すと、未来を想像すれば「脅威になる可能性がある」あるいは、「人間の仕事や働き方を大きく変える可能性がある」、けれども「現実には、すでにかなり社会実装されている便利なもの」といえるでしょう。

ここへ来て、ＡＩテクノロジーの進化は、また別のフェーズに入っています。**決して「比喩」でも「近未来の空想」でも「可能性の話」でもなく、人間の世界――仕事、働き方から組織、社会の成り立ちを文字通り「変える」ものとしてＡＩが立ち現れている**のです。

といっても、それが「脅威」となるかどうかは僕たち次第です。「ＡＩと競合する人」「ＡＩでもできる仕事をしてきた人」にとっては「脅威」となるでしょうし、「ＡＩを使いこなす人」にとっては「優秀なアシスタント」「当意即妙なブレスト相手」「心強いパートナー」となるでしょう。

では今までのＡＩと、最近新たに登場し、このすごいスピードで広がっているＡＩとでは、何が違うのか。それは「ジェネレーティブ」であるという点です。「ジェネレーティブ（generative）」とは「生成力がある」という意味です。つまり**人間からのオーダーを受けて「テキスト」を生成する。「画像」を生成する。「動画」を生成する。それが、今まさに人間の仕事から生活に関わるあらゆる領域において、ゲームチェンジャーとなりつつある「ジェネレーティブＡＩ」の機能**です。目の前で、どんどんテキストが生成されたり、画像がつくられたりしていく様子を初めて見た人は、「手品を見ているみたい」あるいは「ＳＦ映画のようだ」と思うこともあるかもしれません。そのくらい、「ジェネレーティブＡＩ」のインパクトは強いといえると思います。いま僕たちの周りで、人間のオーダーの多くに応えてくれるものとして最初に思いつくのは、「検索エンジン」です。キーワードを入力してエンターキーを押すと、一瞬で、そのキーワードが含まれているウェブページの一覧を出してくれる、今や僕たちの生活になくてはならないものです。

一方、ジェネレーティブＡＩは、検索エンジンのような使い方もできますが、最も力が発揮される用途は「検索」ではありません（あとで詳しく述べるように、ジェネレーティブＡＩによって、検索のあり方が大きく変化することはたしかではありますが）。

ジェネレーティブＡＩは、人間のオーダーを受けたら、すでに学習済みの過去の膨大なデータを洗いざらい参照したうえで、返答してくれる。ここでジェネレーティブＡＩが試みているのは、「あなたがほしいのは、このようなイメージのものですか？」という「提案」です。検索のように「あなたがほしい情報は、このなかにあります」といったような、「正解の選択肢」を示すものではありません。

あくまでも「提案」ですから、人間が「ちょっと違うな。もっとこんなふうにしてほしい」と伝えれば、「じゃあ、このような感じはいかがでしょう？」と、最初に出した案を調整してくれます。

このように、まさに連続性をもって1つの生成物を練り上げることができる。そのプロセスが、まるで誰か別の人間と「ああでもない、こうでもない」とブレストしながらつくっているかのようなものなのです。

ジェネレーティブＡＩは、こちらの問いかけに対して「正解の選択肢」を示すのではなく、こちらからの投げかけに従って作業し、「案」を提示する。それを元にこちらが「正解を導いていくためのツール」の一種であるということです。

時間と労力のかかる作業から、僕たちは解放される？

ジェネレーティブAIには様々な使い道があります。たとえば、散漫な情報を「まとめる」、ある種のテキストを「定型通りに作成する」、何かを機械的に「変換する」、言葉を「書き換える」「置き換える」、あるテーマに沿った「資料を集める」、テキストや画像の「下書き」「たたき台」を作成するなどの作業は、やがて人間の作業リストから消えていくでしょう。

これからの人間の仕事は「着想すること」、筋のいい「選択肢」を元に、より優れたアイデアに磨き上げていくことが主になり、着想を具現化するための「実作業を行う」のはジェネレーティブAIの仕事になっていくイメージです。ジェネレーティブAIが進化し、今後世の中に浸透すればするほど、人間がこれまでのように手を動かして何かをつくる局面は、減っていくでしょう。

「ジェネレーティブAIをツールとして使いこなす」と聞くと、難しいことのように思われる方もいらっしゃるかもしれませんが、そんなことはありません。

むしろジェネレーティブＡＩが真っ先に役立つ局面は、次の３点です。

①今まで日常的に感じてきた「面倒なこと」を解消すること
②着想の「とっかかり」を得ること
③「ブレスト」をして、アイデアを磨き上げること

生産的であるためには必要だけれども、それ自体には生産性を感じられない「面倒な作業」は、すべての仕事につきものです。**今までは、時間と労力をかけて自分で手を動かしてやっていた、そんな作業の多くはジェネレーティブAIが一瞬でかたづけてくれるようになります。**

また、何か新しいものを考えたり、つくったりするときに、今までは着想の糸口から自分でつかまなければなりませんでした。稀に、豊かな発想力の泉から止めどなくアイデアが溢《あふ》れ出る、というタイプの人もいますが、多くの人にとって、「ゼロ↓イチで何かを思いつく」というのは、かなり大変な頭脳労働です。

でもジェネレーティブＡＩがあれば、「とりあえずＡＩに投げかけてみる」ということ

ができます。

そこで得られる回答は、「正解」とは限りません。しかし、ＡＩが何かしら返答してくれば、それがとっかかり（刺激）となって発想が広がります。何かしらの着想を得たうえで、さらにつくり込んでいくこともできます。

つまり**ジェネレーティブAIを「着想の起点」とし、さらにアイデアを練り上げる「ブレスト」相手とする。これらも有効な使い道**といえるのです。

先ほども述べたように、ジェネレーティブＡＩはあくまでも「ツール」ですから、どのように役立てるのかは使う側のニーズ次第です。

僕自身、ジェネレーティブＡＩでいろんなことを試したり、他の人がどのような使い方をしているかを見たりしながら用途を探ってきました。

たとえば現在注目を集めているChatGPTは、サイトにアクセスすると、モデルが選べるようになっていて、デフォルトはGPT-3.5です。誰でも無料で使うことができます（２０２３年4月28日時点）。本書を手に取って下さった皆さんには是非、実際に触れてみて頂きたいのですが、こちらからの問いかけに対するアウトプットの精度の高さに驚くはずです。

そして、プルダウンで、2023年3月にリリースされた最新モデルのGPT-4を選ぶこともできます（こちらは有料です）。GPT-4は、本家のオープンAIに先行して、2023年2月にマイクロソフトの展開する検索エンジン「Bing《ビング》」（こちらは無料です）に採用されました。こうしたかたちで、GPT-4を搭載した新しいサービスなどを通じて世の中に浸透したら、いよいよ本格的に、テキストベースの言語の壁は解消していくでしょう。

皆さんも、とりあえず「触れてみること」で、どんどん自分にとっての使い勝手が見えてくるはずです。そのイメージをつかんで頂くために、まずは、ジェネレーティブAIでどんなことが可能なのか、僕自身が実践している具体例を挙げて説明しておきましょう。

1 資料作成 ▼ 草稿づくりは不要になる

プレゼン資料をつくる、会議のアジェンダを設定する、番組の進行リストやインタビューの質問リストをつくる、契約書を作成する。こうした**頭脳労働においては、ジェネレーティブAIは「着想のとっかかりづくり」「たたき台づくり」で役立ちます。**

まずジェネレーティブAIに「○○というテーマの番組をつくりたい。どんな進行にしたらいいだろう?」「△△というテーマの書籍をつくりたい。どんなコンテンツがいいだろう?」などと投げかけて案を出してもらい、その案を元に人間が調整、改善を加えていきます。

最初から「ベスト」な生成物を出させるというよりは、AIが弾き出した原案を元に「ベター」を積み重ね、最終形態へと練り上げていくイメージです。

プレスリリース、契約書、ビジネスメール、さらには謝罪文、始末書など定型的なものは、「こういう内容で」とテーマや概要を示すだけで、あとはAIがダーッと書いてくれる。それをたたき台として、人間は適宜、編集や修正を加える。これらのようにある程度、「定型文」が存在する文章の作成は、かなり楽になることは確実です。

2 画像・イラスト作成

パッケージ、イラスト、広告、バナーなどのデザイン案を出してくれる

画像を生成するジェネレーティブAIは、趣味的に「思い思いに、いろんな絵を描いて遊べる」ほか、仕事でも、商品パッケージ、広告バナー、書籍の装丁デザイン、ポスターなどのたたき台づくり、アイデアのブレスト相手として、かなり活用できます。

「こんなテイストの○○のイラストを描いて」「消費者にこんな印象を与えるような商品パッケージをデザインして」という具合にイメージを伝えると、ジェネレーティブAIが何かしら生成してくる。人間は、それを「原案」として検討し、ジェネレーティブAIに追加の指示を与えたりもしつつ、調整、改善を加えて最終的に練り上げていきます。

やはり人間が実際に手を動かして作業をする割合は格段に減り、そのぶん、クリエイティビティという「人間にしかない力」を、より発揮しやすくなるでしょう。**使い方によっては、プロフェッショナルの生産性が格段に上がり、新たな可能性も広がります。**

3 プログラミング ▼ プログラムの「下書き」をもらえる

これはあまり一般的な用途にはならないかもしれませんが、僕自身は、よくジェネレーティブAIにプログラミングのコードを書いてもらっています。自分でプログラム言語を書き連ねなくても、ChatGPTに「こういうプログラムを書いてほしい」というオーダーを出すだけで、書き上げてくれる。

実際に僕自身も、昔懐かしい「PONG」というピンポンゲームのようなものを、

ChatGPTにつくってもらったことがあります。コードはすぐに生成されましたが、最初のものでは、画面上でピンポンは始まるものの、自分でパッドを動かすことができない。そのことを、ChatGPTに伝えると、すぐにキー入力ができるようになり、最初にイメージしていた「PONG」のようなゲームを、自分でコードを一切書かずに生成することができました。

最新版のGPT-4について説明されているビデオでは、テーブルナプキンに手書きで書かれた簡単なHTMLの写真を取り込み、その画像の内容をGPT-4がテキスト化して、実際のウェブページとして表現するコードを自動生成する機能が提示されていました。このように画像を取り込む機能も、今後加わるようです。

といっても、これは、プログラム言語をまったく知らない人でも簡単にプログラミングができるようになる、ということではありません。

ジェネレーティブAIは完璧ではないので、誤ったコードを書くことがあります。僕の経験上、AIが生成したコードのままでは、十中八九、機能しないといってもいいほどです。

となると、**誤りを見つけて正しく機能するよう仕上げるのは人間の役割**です。つまり、もともとプログラミングがある程度できる人が、いちからコードを書く手間を省くためにジェネレーティブAIを使うならば、かなり便利だということです。

4 翻訳 テキストベースの「言語の壁」が取り払われる

日本人にとって、何事においても「言語」が障壁になることは多いと思います。

他言語でコミュニケーションするためには、その言語を習得しなければなりません。英語圏の人とビジネスをするなら最低限のビジネス英語、中国語圏の人とビジネスをするには最低限のビジネス中国語を勉強して初めて同じ土俵に上がることができる。――たしかに、今まではそうでした。

しかし、ジェネレーティブAIを使いこなすことができれば、これからは違います。**少なくともテキストベースでは、自分自身がその言語を書いたり読んだりすることができなくても、コミュニケーションできるようになります。**

DeepL《ディープエル》のような翻訳ツールも、最近ではかなり進化していますが、あとで実例をご紹介するように、ジェネレーティブAIでは、これまで使われてきた様々な翻訳ツールでは不可能なことまですることができます。

5 検索

膨大なデータ分析に基づいた「筋のいい解答案」が提示される

ジェネレーティブＡＩは、もちろん検索エンジンとしても使えます。

従来の検索エンジンが、「キーワードに対応するウェブページ一覧の表示」だったのに対して、ジェネレーティブＡＩは、膨大なデータを参照した「要約」を表示します。

今までは、わからない言葉に出会うたびに検索し、そこで得たバラバラの情報を自分のなかで統合して理解する必要がありましたが、これからは、ジェネレーティブＡＩが自分の代わりに「情報の統合」までやってくれるわけです。

そこで生じる従来の検索エンジンとの違いは、次の3つです。

1つめは、**「連続性」をもった検索ができる**こと。ジェネレーティブＡＩは、扱えるコンテクスト（文脈＝ＡＩの記憶力のようなもの）が、従来の検索エンジンよりはるかに多いため、人間同士で会話を発展させていくのと同じような感じで、連続的に検索できます。

従来の検索エンジンだと、検索するごとに結果が表示されておしまいです。いくつかウェブページを閲覧し、「この点をもう少し深く知りたい」と思ったら、またいちからキーワード検索をしなくてはいけません。調べる側の頭のなかでは連続性があっても、検索エンジンのほうでは、それを認知してくれないわけです。

ではジェネレーティブAIを検索エンジンのように使った場合、どのようになるでしょうか。

仮に「A」という事柄について調べたら「1」「2」「3」「4」という解説文が表示されたとしましょう。そのうち特に「3」の部分を深く知りたいと思ったら、続けて、「『3』についてもっと詳しく説明して」と入力する。いってみれば「博識な友だち」から情報を引き出すように、連続性をもって物事を調べることができます。

2つめの違いは、**「文脈」を踏まえて解説できる**ことです。検索エンジンだと、たいていの場合は辞書的な意味を表示しておしまいですが、ジェネレーティブAIは、ある特定の文脈のなかでどう使われているのか、どういう意味なのかを、上手に説明できます。

そして、3つめの違いは**「解説の難易度」をチューニングできる**こと。

自分があまり知らない分野について検索したところ、見つかった解説ページが難しい言葉で書かれていてうまく理解できなかった、という経験は皆さんにもあると思います。

「○○　わかりやすく」といった検索の仕方もありますが、そうすると、重要な要素を欠いた簡易的すぎるページや、難解なものを嚙《か》み砕くあまり正確ではない内容になっているページが表示される恐れがあります。

ジェネレーティブＡＩは、まんべんなくデータを学習したうえでの「要約」を表示します。そこで内容的には不足のない解説の「難易度」だけを、たとえば「専門用語を使わずに」「小学校4年生でも理解できるように」などとチューニングすることもできるのです。

これら3点の違いにより、**ジェネレーティブAIによって「検索」という体験が大きく変わる**ことは間違いないでしょう。

ただし、ジェネレーティブＡＩが「絶対的な正解」を導いてくれると期待してはいけません。現在のジェネレーティブＡＩの学習モデルだと、パターン認識によって、とんでもない間違いを「正解」として示すことがあるからです。

6 整文 TPOに即してふさわしい文体に書き換えてもらえる

ジェネレーティブＡＩによって、「文章の書き方」もかなり変わっていくでしょう。

コンテンツのオリジナリティは今後も人間の領分ですが、それを、どんな文章で表現するか——たとえば**「くだけた文章」を「論文調」に変換する、難解な文章を小さな子どもでも理解できる表現に変換するといったことは、ジェネレーティブAIは非常に上手**です。

その他、ポンド→グラム、フィート→メートル、マイル→キロメートルなどの単位の変換も一括で完了できます。

どれほど翻訳ソフトが進化しているといっても、そこには「どれだけ正確に訳せるか」という尺度しかないので、文体や難易度、トーンの調整まではできません。

日本のビジネスパーソンなら、日本語で書いたメールを単に「英訳」するのではなく、ビジネス文面に書き換えられるというのは、かなり便利に感じられるのではないでしょうか。

日本語の文面を英語に翻訳するのはもちろん、かたことの英語をきちんとした英語の文面に書き換えることもできます。ジェネレーティブAIは、文法的に正しくない文面から「いいたいこと」を汲み取って、正しい英語に変換することもできるということです。

また、日本語には「謙譲語」「尊敬語」「丁寧語」という一定のルールがありますから、砕けた言い回しの日本語を敬語に直すなどの「日本語→日本語」の変換もジェネレーティブAIの用途として考えられます。

7 サマリー

長い文章を一瞬で「要約」

「情報の整理」はＡＩが最も得意とすることの1つですから、**長大なテキストや議事録のサマリー作成も、人間が手を動かす必要は、ほとんどなくなります。**

ChatGPT-3.5でも、サマリー作成作業をかなり高い精度で行ってくれます。ただ、途中で止まってしまったり、続きを促したらまったく違う作業を始めてしまったりと能力に限界もありました。この点、扱えるコンテクストが劇的に増加したChatGPT-4では、かなり長文（旧版の約8倍の2万５０００字まで）のサマリー作成も可能です。総ページ数２００ページ弱の書籍一冊の総字数が5万字強。その半数を一度に扱えるということです。

僕の場合は、よく「翻訳」とのあわせ技で、ジェネレーティブＡＩにサマリー作成をさせています。日本語ネイティブの人たちの間で白熱した議論のテキストがあったら、ChatGPTに「誰がどんな提案を出し、誰が賛成したのか、誰が反対したのかをマークしながら、英語で要点をサマリーにまとめて」とオーダーするだけです。

今までは、会議のあとには必ずといっていいほど「議事録を要約する」という仕事が生じていたと思いますが、今後、それはジェネレーティブＡＩが担う仕事になっていくでしょう。

ほかにも、たとえば英語で書かれた論文を日本語でサマリーにまとめてもらえたら、情報収集の労力がずいぶんと省かれます。

8 調べもの ▶ 従来の検索より効率的に調査できる

ジェネレーティブＡＩは過去の膨大なデータを学習しているので、**人間のオーダーに従って、過去に書かれた研究論文やレポートを世界中から探してくることもできます。**

ただし現時点では、ジェネレーティブＡＩが、ありもしない論文を捏造《ねつぞう》して提示するということも頻繁に起こっています。

ジェネレーティブＡＩが出してくれる答えを鵜呑《うの》みにせず、それらを別の方法でチェックする必要があります。それでも自分でゼロから調べるよりは、かなりの労力削減になるはずです。

僕も、「○○研究で最先端を行っているのは、どの研究所？」「このテーマとこのテーマを一番よくカバーしているのは、どの学会誌？」などと聞くことがあります。が、ジェネレーティブＡＩが挙げた研究所や学会誌が本当に存在するか否かは、必ず自分で検索して確認しています。**注意しないといけないのは、ChatGPT-3.5は２０２１年９月までのデータしか学習していないという点**です。

POINT

●人間からのオーダーに対して、「テキスト」「画像」「動画」などを生成するジェネレーティブAIが誕生し、仕事、生活、ひいては社会のあり方に大きな変革をもたらしている。

●ジェネレーティブAIは、情報の整理、定型文作成、ルールに基づいた変換、資料収集など、使う側のアイデア次第で様々な使い道がある。

●ジェネレーティブAIを「ツール」として使うことで、ありとあらゆる作業が効率化し、僕たちにできることが「拡張」していく。

企業努力による機能の進化から
AIの搭載による機能拡張へ

地殻変動①
既存のツールへの最新AI搭載

人も企業も「拡張」し続ける

ＡＩが僕たち人間に起こそうとしていることを、ひと言でいうと能力や機能の「拡張」です。

すでにプロとして質の高い仕事をしてきた人の能力、すでに多くの人に求められる優れたビジネスを展開してきた企業の機能が、ジェネレーティブAIというツールを実装する

ことで、一気に拡張されるということです。

ここではビジネスにフォーカスして話していきましょう。

おそらく、今後、ジェネレーティブＡＩのインフラを提供するような巨大ベンチャーが誕生する可能性はあまり高くないと思います。というのも、現在ジェネレーティブＡＩで主流になっているＬＬＭ（大規模言語モデル）には莫大なコストがかかるため、資金力のある巨大テック企業でないと研究開発を維持できないからです。

ChatGPTを開発するオープンＡＩは、元は２０１５年、「人間レベルのＡＩの構築による社会貢献」という理念を掲げる非営利ＡＩ研究機関として設立されました。その理念のもとに優秀な研究者やエンジニアが集まり、イーロン・マスク氏をはじめとする経営者や企業が総額10億ドルもの寄付を表明したことも話題になりました（イーロン・マスク氏は、２０１８年、自分のビジネスとの齟齬があるとの理由から、離脱しています）。

そして現在、オープンＡＩの最大の支援者として蜜月関係を築いているのが、現状総額数十億ドル、今後さらなる資金提供をするといわれているマイクロソフトです。巨大資本のバックアップがあるからこそ、オープンＡＩは、GPTをここまで発展させることができたわけです。

オープンＡＩへの巨額投資をテコとしてGPT搭載の検索エンジン「Bing」をリリースしたマイクロソフト。やや後れを取ったものの、独自のチャット型検索エンジンのリリースを慌てて行ったグーグル。当面は、この2社がＡＩの2大巨塔となっていくでしょう。

もう1社気になるとすれば、アマゾンでしょう。

アマゾンは２０２３年2月に、新興ＡＩ企業のハギングフェイスと提携しました。4月には、自社のクラウドサービスＡＷＳで動くジェネレーティブＡＩ開発のプラットフォーム Bedrock を発表し、自社の言語モデルである Titan を含む、Anthropic・Stability AI・AI21 Labs のモデルを利用して製作するプログラムが利用可能になるといいます。開発者からみれば、自分がつくるサービスにふさわしいジェネレーティブＡＩエンジンを選べるようになります。

最大で、このようにマイクロソフト、グーグル、そしてアマゾンの三つ巴になり、その周辺に、「医療専用」「統計専用」などといった特殊な小規模モデルが複数生まれるという構図になっていくと思います。

さらに、イーロン・マスク氏もＡＩ開発会社を設立したというニュースが、本書の原稿の最終的な確認をしている段階で報じられました。正直、僕にも今後どうなるか見通せなくなってきた気さえします。

さて、ＡＩ自体は資金力のある巨大テック企業２社（加えて、新規参入企業１社）が握り、ベンチャーが生まれる可能性はあまり高くない。その代わりに、今後増えていくと考えられるのは、**現状すでに多くのユーザーを獲得している企業が、ＡＩの新規搭載によって自社のアプリやウェブサービスの機能を拡張し、競争力を高める**というパターンです。

たとえば日本の代表的なグルメサイトというと「食べログ」がありますが、２０２３年５月にChatGPTプラグインの公開を行いました。ユーザーは、本プラグインを有効にすれば、料理のジャンル、予約希望日などをChatGPTに伝えることで、ネット予約可能なイメージ通りのお店を簡単に見つけることができます。このようにかつてないほど高い精度で人間のオーダーに応えるジェネレーティブＡＩを搭載し、従来の機能を拡張できるツールが、すでに登場しています。

２０２３年3月、オープンＡＩはＡＰＩの導入を発表しました。この発表に合わせて用意されたプランでは、通常のChatGPTの約4倍のトークン（ＡＩが扱えるコンテクストの指標）を取り込めるといいます。

ChatGPTなどのジェネレーティブＡＩを自社のアプリやウェブサイトに組み込むケー

スは、今後ますます増えていくはずです。日々、新しいサービスが生まれていますが、ここでは、本書の執筆を終えた2023年5月8日時点でリリースされているもののうち、代表的な4種類のサービスをご紹介しておきましょう。

会話で検索できるマイクロソフト「Bing」が、グーグル検索に取って代わる?

2023年2月にマイクロソフトが発表した検索エンジン「Bing」の新しいモデルにはBing用に改良された最新版のGPT-4が搭載されており、ジェネレーティブAIとリアルタイムでチャットしながら情報検索することができます。

251ページで詳しく触れますが、Bingは順番待ちリストに登録し、サインインをすると、誰でも無料で使うことができます。GPT-4は使ってみたいけれど、有料プランを契約するのはちょっと……と思っている方には朗報といえます。

しかも、ジェネレーティブAIには「連続性をもった検索」が可能という特徴があるため、ユーザーの情報検索の満足度は、従来の検索エンジンをはるかに凌《しの》ぐでしょう。

人間が提示した条件に従って「食事や旅行の計画を立てる」「オリジナルの文章や詩を

創り出す」「どこで何をしたら楽しいかを提案する」、さらには「こちらの質問に対し、よりよい答えを提示する」――こうした検索体験ができるBingを、マイクロソフトは「検索エンジンの進化版」と位置づけています。

今後、どれくらいのユーザーがBingに移行するかは未知数ですが、検索エンジン最大手としてWeb2（2000年代に登場した、ユーザーが参加し、共同でつくり上げるインターネットの進化の一形態。代表的なサービスの事例には、ブログやSNSなどがある）を支配してきたグーグルでは、従来の検索のビジネスモデルである広告モデルを大きく揺るがしかねないとして、現在、最大の警戒モードになっているようです（実際、経営陣が社内に向けて「コードレッド（緊急事態）」を発令したといわれています）。

Notion AI：要約、資料作成、情報整理、文章作成・校正など

2023年2月、文書の共同管理のクラウドサービスNotionはジェネレーティブAIを搭載したNotion AIを、新たな有料サービス（5月8日時点で、ワークスペースのメンバー一人につき20回までは無料）としてリリースしました。

これにより、「雑多なメモを瞬時に要約する」「自分の書いた文章を、より効果的に改善する」「新しいアイデアのメリット・デメリットをリスト化する」「翻訳する」「パワーポイントで作成したいプレゼン資料の要素をまとめる」といった作業を一瞬で完成させることができるようになりました。

Notion の共同創業者・CEOのアイバン・ザオ氏は、リリース文で Notion AI の可能性を次のように説明しています。

「ユーザーと話していると、職種を問わず『仕事そのものよりも、仕事のための仕事の時間』のほうが長いという声が多く聞かれた」

「今までは30分かかっていた作業が数秒で終われば、空いた時間で自分のスキルを高めたり、大切なプロジェクトに向き合ったりできる。Notion AI はそんな世界への入り口」

「AIによって、自分たちの可能性は今までに想像できなかったかたちで拡張されることが明らかになった」

Notion は、すでに優れた文書共同管理のフォーマットを構築しています。そのフォーマット上に組み込まれたAIに作業させたほうが、ChatGPT に直《じか》にオーダーするよりも、提案されてくるアウトプットのレベルは高くなる。ジェネレーティブAIによって個人の能力やサービスの機能が拡張するというのは、こういうことです。

Teams Premium：会議のサマリー作成

マイクロソフトは、**オンライン会議ツールの有料プランTeams Premiumに、ChatGPTを搭載。これにより、タスクのリスト作成、字幕の挿入、会議のサマリー作成などを自動生成することが可能になりました。**

オフィスアプリ「Microsoft 365」にも新機能「Microsoft 365 Copilot《コパイロット》」を発表しており（2023年3月）、今後はChatGPTのようにチャットで指示することで、「Word」や「Excel」などで行う作業をサポートしてくれるようになるでしょう。

このように既存ツールに組み込まれるケースが増えるほどに、人々が自分では気づかないうちに自然と、生活のなかでAIを「ツール」として使っているという流れが加速するでしょう。**既存ツールに搭載されたジェネレーティブAIは、もはや「AI」とは呼ばれなくなり、「自動字幕機能」「サマリー作成機能」といった「別の名前」で呼ばれていくはずです。**

GitHubのAIプログラミング機能「Copilot」：コードの自動作成

ソフトウェア開発のプラットフォーム、GitHub《ギットハブ》が２０２２年6月にリリースしたGitHub Copilotは、ジェネレーティブＡＩと協力してプログラミングができるサービスです。

たとえば、最初にいくつかのプログラム言語を入力するだけでこちらがどんなプログラムを書こうとしているのかを予測し、バーッと残りを書いてしまう。ＰＣやスマホで「拝啓」と入力すると、予測変換で「時下ますますご清栄のこととお慶び申し上げます」などと自動的に入力されますが、**GitHub Copilotは、この「予測変換」のプログラミング版**といってもいいでしょう。

ユーザーがある程度、プログラミング言語を知っている必要はあるものの、コードを書く手間はかなり省かれます。また、ソフトウェアはデータが蓄積しやすい、つまりＡＩが学習しやすい分野ということもあり、コードの検証や改善なども、高い精度でできるようになっています。

POINT

●ChatGPTのオープンＡＩ、最新版であるChatGPT-4が搭載されている検索エンジンBingのマイクロソフトなどがジェネレーティブＡＩ市場に参入している。
●世界の巨大テック企業の間で、ジェネレーティブＡＩ市場の熾烈なシェア争いが繰り広げられている。
●TeamsやNotionなどのように、すでに多くの人に利用されているサービスがジェネレーティブＡＩを搭載することで、自社アプリやサービスの競争力を高める事例が生まれている。

「巨大テック企業にお金と権力が集まる中央集権的構造」から
「web3×AIで透明性の高い分散型構造」へ

地殻変動②
AIとweb3の融合

web3＋ジェネレーティブAIによる社会変革

2022年は、「web3元年」と呼ばれました。

テクノロジー業界の覇者、GAFAM（グーグル、アップル、メタ〈フェイスブック〉、アマゾン、マイクロソフト）に、あらゆるデータとともに権力が集中していたWeb2の時代に代わって、ブロックチェーン技術をベースに分散化（非中央集権化）に向かう新たな潮流、ｗｅｂ３が誕生し、近年、急速に広まりつつあります（ちなみに僕は、ｗｅｂ３の非中央集権性を表現するために「Ｗｅｂ」ではなく、あえてすべて小文字で「ｗｅｂ３」と書くようにしています）。

ｗｅｂ３の潮流が、ＡＩの進化・発展と歩みをともにしているのは、それほど不思議なことではありません。かたやブロックチェーン、かたやＡＩと、いずれも新たに社会に受け入れられているテクノロジーもありますが、変革をもたらそうとしている点ではいずれも共通しているからです。

すでに世界中で同時多発的に進展しているｗｅｂ３の潮流は、ＡＩの進化によって、今後、いっそう加速していく。いわば「AI DRIVEN」な社会変革が、本格的に起こっていくと予想できるのです。

ｗｅｂ３で新たに生まれたもののなかでも、特にジェネレーティブＡＩとの親和性が高いのはＤＡＯ《ダオ》（分散型自律組織）です。

ＤＡＯとは、プロジェクトごとに立ち上げられたｗｅｂ３コミュニティのことです。一般的な企業とは違って株主・経営者・社員といった上下関係がなく、メンバー全員が対等な立場でプロジェクトの運営に携わります。

DAOのガバナンスは、主にトークン（DAOが独自に発行している仮想通貨の一種）を介したメンバー全員の「投票」によって行われており、また、メンバーはプロジェクトに関するタスクをこなす報酬としてトークンなどを受け取ります。

DAOの特徴は、メンバーのひとりひとりが自律的に動いており、特定の責任者もいなければ上下関係もない、雇用関係もないというところにあります。

AIとweb3はこうして融合する

ではDAOに、どうAIが関わりうるか。その鍵となるのは、DAOの運営に欠かせない「スマートコントラクト」でしょう。

スマートコントラクトとは、先に取り決めたことが自動実行されるプログラムを埋め込んだweb3的な「契約書」にあたるもの。

「中央の管理者」なしに自律的に回っていく「DAO＝分散型自律組織」であるためには、このスマートコントラクトにより、タスクをこなしたメンバーに対するトークンの支払いなどが自動的に実行されることが欠かせません。

今までは人の手でプログラムを書いていましたが、その役割のほとんどをＡＩに移すというのは、十分、考えられます。

たとえば、海外の企業の日本法人をつくるように、海外のＤＡＯの日本版をつくろうとなった場合、海外と日本では法律が異なるため、そのＤＡＯのスマートコントラクトを日本国内仕様に構築し直す必要があります。

そこでＡＩに、元のＤＡＯのスマートコントラクトを読ませ、「これを日本の法律に見合うように書き換えて」とオーダーすれば、人がほとんど手を動かすことなく一瞬で完成してしまうというわけです（もちろん最終的にチェックし、実装するのは人間の責任で行わなくてはいけません）。

同様の発想で、**ＤＡＯとＤＡＯを合体させ、両者の「いいとこ取り」をした１つのＤＡＯをつくることなどもできる**でしょう。

また、**膨大な情報の整理はＡＩが非常に得意とすることですから、ＤＡＯのガバナンスにＡＩを用いることもできます。**

先ほど述べたように、ＤＡＯでは、全メンバーの投票によって意思決定が下されます。

そこにＡＩを介在させれば、ミーティングのマネジメント、議論のサマリー作成、意思決定までのプロセスがかなり効率化されます。ＡＩに会議の司会者になってもらうイメージです。

すると、たとえメンバーが1万人いたとしても、**「みんなの一番の関心事は何か」「どの提案に賛同が集まり、どの提案が否定的に見られているのか」などがＡＩによって瞬時に可視化され、多数決を行わずともそれを元に意思決定を下すことができます。**これは、テクノロジーの力を借りない従来のミーティングでは実現不可能なことでした。

加えて、もう1つアイデアを挙げると、**ＡＩでＤＡＯの健全性を解析する**という用途も考えられます。

ｗｅｂ3の技術的基盤は、ブロックチェーンです。

ブロックチェーンとは、仮想通貨の取引記録を、世界中に散らばっているコンピューターが共同で維持、管理している「分散型の取引台帳」のこと。ほぼ改ざん不能で、誰でも中身を確認できるという透明性の高さが一番の特徴です。

このブロックチェーンをベースにしているＤＡＯでも、トークン配分（独自に発行しているトークンを、誰にどれだけ配分しているのか）やスマートコントラクトの内容は、すべて改ざん不能で誰もが確認できるオープンな情報です。

となると、たとえば、ＡＩに、あるＤＡＯのトークン配分やスマートコントラクトを解析させ、そのＤＡＯの健全性を見極める。そのうえで参加するかどうかを判断する、といったこともできるわけです。

これらの使い道は、僕が現状想定しているものにすぎません。ｗｅｂ３プロジェクトに関わる人たちの自由な発想力によって、「ｗｅｂ３×ＡＩ」の実装例が、今後、次々と生まれていくでしょう。

POINT

- **近年世界的潮流となった、ブロックチェーン技術によって実現した、分散型インターネット・ｗｅｂ３にも、ＡＩは大きな影響を与えている。**
- **ｗｅｂ３コミュニティ、ＤＡＯ（分散型自律組織）のプログラムを人の代わりにＡＩが作成したり、新しいＤＡＯをつくる際のアイデア出しや、ＤＡＯ内の会議のファシリテートなどを行ったりすることができる。**
- **トークンやスマートコントラクトの解析により、そのＤＡＯの健全性を見極めることも可能。**

専門家の役割を果たすＡＩから
人間の意思を先回りするＡＩへ

ＡＩの進化の現在地点と未来

ＡＩはどのように進化してきたか

古くは１９５６年、ダートマス会議で初めて「人工知能」という概念が共有されて以来、ＡＩは人間にとって、ワクワクする未知のテクノロジーであると同時に、脅威の対象でもありました。

人間がＡＩを便利に使っている間はよかったけれども、やがて「知性」を持つに至った

ＡＩが「人権」を求めて反乱を起こし、人間社会が脅かされる——皆さんもご存じのように、この構図はすでに、「ターミネーター」のようなＳＦ映画やＳＦ小説の1つのフォーマットにさえなっています。こうしたシナリオが展開する、数え切れないくらいの作品たちが、まさに、ＡＩに対する僕たちの普遍的な関心度の高さを物語っているのではないでしょうか。

もちろん、現実社会でも、新しいＡＩのテクノロジーが生まれるたびに疑問や危惧の声が上がってきました。人間の知能と同等かそれを超越するＡＩ、「意識」を持つＡＩができてしまったら、それこそ人間という存在が危機にさらされる、それは何としても回避すべしというわけです。

これはあくまで僕個人の一意見ですが、このように人間とＡＩの関係性を「人間対ＡＩ」と固定化することに、疑問があります。

人間とＡＩの関係性をどのように捉えるかによって、今までのＡＩ、そして未来のＡＩの社会における位置づけも大きく変わってくるでしょう。皆さんにも改めて「ＡＩと自身の関係」を考えて頂くために、ここでＡＩの歴史を簡単に振り返っておきたいと思います。

ＡＩの歴史には大きく３つの区分があります。以下、松尾豊氏（東京大学大学院教授、日本ディープラーニング協会理事長）の研究室が、自民党のプロジェクトチームで発表した資料を元に説明していきます。

まず１９５０年代後半～１９６０年代に、「推論」や「探索」ができるコンピューターが誕生したことで**「第一次ＡＩブーム」**が起こりました。これで様々な問題解決をＡＩに任せられると期待されましたが、ここで可能になったのは特定の問題の解決だけであり、現実社会の複雑な問題は解決できませんでした。

それがふたたび盛り上がりを見せるのは、１９８０年代のことです。人間の「知識」を「コンピューターが認識できるかたち」に置き換えたうえで「学習」させる方法が確立され、一気にＡＩの実用性が高まりました。エキスパートシステムの導入により、ＡＩが専門家の役割を担うことが可能になりました。

ただし、この段階ではまだＡＩは「自ら学ぶ」ことができませんでした。つまり、人間がそのつど、「知識」を「コンピューターが理解できるかたち」に置き換えて「学習」させなくてはいけない。それでは、世の中の膨大な知識をすべて学ばせるのは実質的に不可

図 1　AIブームの変遷

1950年代後半 〜1960年代	1980年代 〜1990年代半ば	2000年代 〜現在
第一次AIブーム	第二次AIブーム	第三次AIブーム
「推論」「探索」 できる コンピューターが誕生	AIが「学習」 できるようになり、 専門家の役割を担う	AIが自ら学ぶ テクノロジー＝ 「機械学習」の確立
「特定の問題」は解決可能になったが、世の中のあらゆる複雑な諸問題の解決には至らず	認識できるかたちに人間が置き換えたうえで、コンピューターを学ばせられるように。この段階では、コンピューターが「自ら学ぶ」ことはできない	AIの実用化が大きく前進。膨大なデータをコンピューターが「独学」することが可能に

能です。そのような技術的・費用的・時間的な限界により、「第二次ＡＩブーム」は１９９０年代半ばに終焉《しゅうえん》を迎えました。

その後２０００年代に盛り上がり、現在に至るまで続いているのが「第三次ＡＩブーム」です。この段階では、「ＡＩが自ら学ぶ」テクノロジー、「機械学習」が確立され、膨大な蓄積データに基づき、人間が設定した様々な問いや課題に答えるＡＩが誕生しました。この技術的なブレークスルーによってＡＩの実用化が大きく前進すると期待されており、実際にそうなりつつあります。

「漢字の予測変換」も「インターネット広告のアルゴリズム」も、機械学習によって可能になったことです。この歴史の延長線上に、ChatGPTやMidjourney《ミッドジャーニー》など、今まさに着々とユーザーを増やしているジェネレーティブAIがあるというわけです。

「知能」とは何か──AI・IA論争

さて、以上のような歴史を踏まえ、改めて人間とAIの関係性を考えてみると、どんなことが見えてくるでしょうか。

そもそも「人工知能」とは何か？「知能」とは何か？　それを「人工」的につくることは可能なのだろうか？　いったい何をもって「人工的な知能」といえるのか？

実は過去40年間、専門家の間では**「AI対IA」**という論争が繰り広げられてきました。ビッグデータを学習したコンピューターは、人間の知能を模倣し、それに匹敵する機能を果たすという「AI」派と、そうではなく人間の知能を「拡張」させる機能を果たすのだという「IA（Intelligence Augmentation＝知能拡張）」派の論争です。

この長きにわたる論争に、僕はもう1つの視点を加えたいと考えています。

図2　AIに対する3つの見方

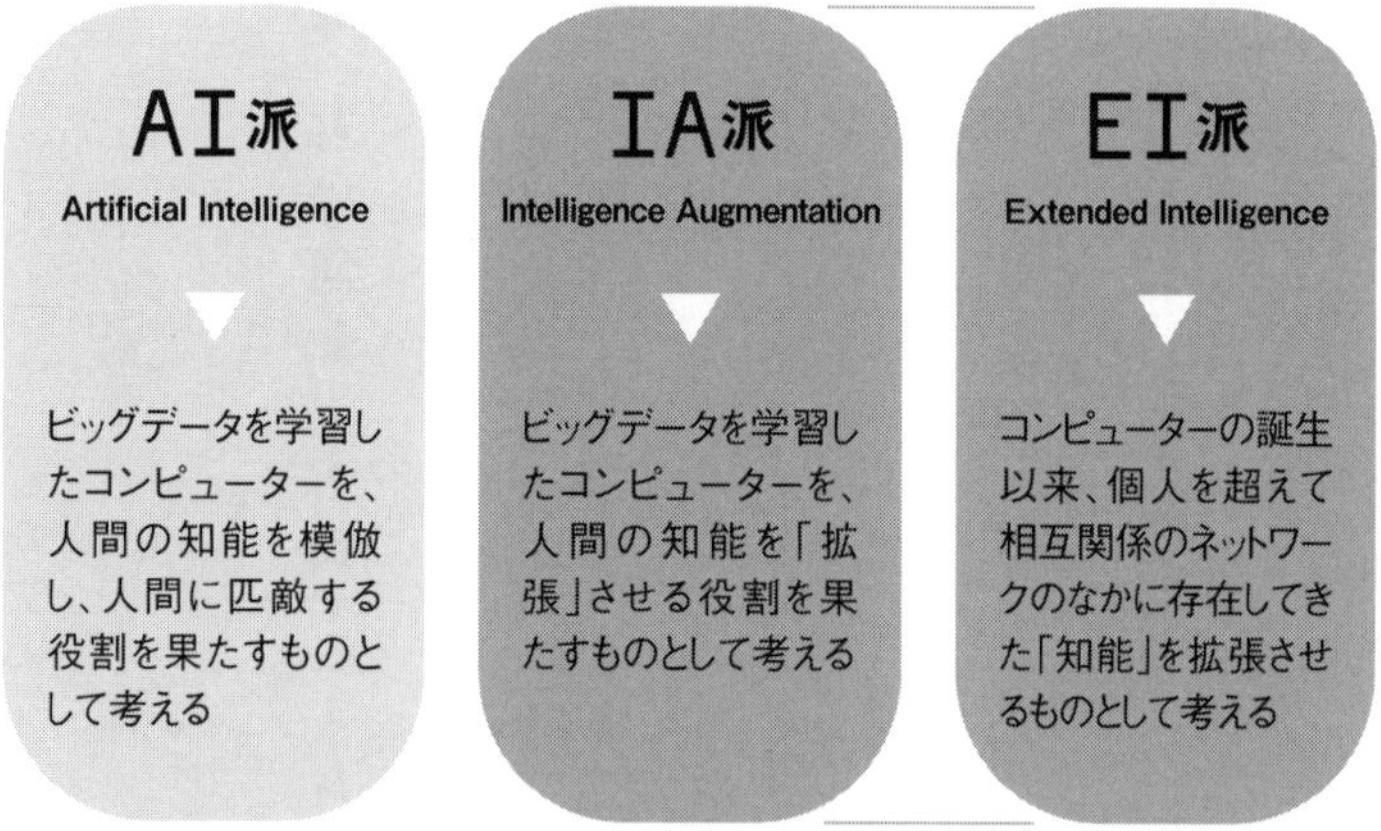

AI派	IA派	EI派
Artificial Intelligence	Intelligence Augmentation	Extended Intelligence
▼	▼	▼
ビッグデータを学習したコンピューターを、人間の知能を模倣し、人間に匹敵する役割を果たすものとして考える	ビッグデータを学習したコンピューターを、人間の知能を「拡張」させる役割を果たすものとして考える	コンピューターの誕生以来、個人を超えて相互関係のネットワークのなかに存在してきた「知能」を拡張させるものとして考える

そもそも「知能」はどこにあるのでしょう。コンピューターの誕生以来、知能とは、常に「個」を超えて、マシンによってつなぎあわされた相互作用のネットワークのなかで存在してきたものではないでしょうか。

このように「ネットワーク化された知能」という視点を持ってみると、今、僕たちが「AI」と呼んでいるテクノロジーは、「AI（人工知能）」とも「IA（知能拡張）」とも少し違う気がします。

そもそも知性がネットワーク化されているものならば、いわゆる「AI」は、そのネットワークを、ごく自然なかたちで「補強」「拡張」しているにすぎません。

つまり、**今まで「ＡＩ」と呼んできたものは、実は、知能のネットワークを拡張するもの、「ＥＩ（Extended Intelligence ＝拡張知能）」ではないかと僕は考えているのです。**

そして僕たちは、より高次に発達した知能のネットワークを、引き続き、いろいろなかたちで利用していく。「人間の知能と同等、もしくは人間の知能を超えるＡＩ」が人間を脅かすのではなく、ＡＩ、もといＥＩは、今まで人間が手ずから行ってきた様々なことを肩代わりするツールの供給源であり続けるというわけです。

次世代ＡＩ、ニューロシンボリックＡＩの可能性

ＬＬＭは、ＡＩの一形態であるニューラルネットワークに基づいています。これらは、大規模なネットワークとして相互接続された「ノード」の層を使用して作成されます。膨大な量のデータとコンピューティングリソースを使用しており、一部のモデルは訓練に何億ドルもかかることがあります。

ＬＬＭはテキストや画像から文字通り「魔法のように」学びます。これは僕たちが、右脳を使って、直感的に何かを理解する感じに似ているといえます。

ＬＬＭがテキストや画像から学ぶ際には、どのように学んでいるかを、わかりやすく説明することはできません。ＬＬＭの学習は、ルールや論理に基づいていないからです。

しかし、これとは別のタイプのＡＩも存在します。構造化された、または「シンボリック」なＡＩです。

このＡＩは、僕たちと同じように物事の背景にある「理由」を理解できることができます。というのも、**こうしたＡＩは、理論やアイデアを持つことができ、ルールにのっとって動くため、学習データの量が少なくても理論やアイデアを持つことができ、学習データが増えるのに従って、理論を更新することもできる**からです。現在のＬＬＭよりも、物事の背景にある「理由」を説明するのに長けていて、なおかつ、コンピューターリソースや学習データが少なくて済み、事実やデータを扱うのが巧みなＡＩです。

僕はＭＩＴの不確実性コンピューティングプロジェクトのメンバーなどと協力して、このニューロシンボリックＡＩの開発を行っています。

ちなみに、ＬＬＭのようなニューラルネットワークは継続的に更新することができません。ＬＬＭは構造上、バッチ処理（目的別にプログラムやデータを整理し、それらのデータを順次処理していく一連の手順）による学習をしなければなりません。まさにそれが、

ChatGPTが特定の日付までの情報しか持っていない理由です。

右脳と左脳がその学習カテゴリーに最適な部分で協働するように、現時点では、シンボリックAIとニューラルネットワークの協働は親和性が高いといえるでしょう。

POINT

- AIの歴史には「推論」「探索」できるコンピューターの誕生で起こった「第一次AIブーム（1950年代後半〜1960年代）」、人間の「知識」をコンピューターに「学習」させる方法の確立で始まった「第二次AIブーム（1980年代〜1990年代半ば）」、機械学習の確立で始まった「第三次AIブーム（2000年代〜現在）」の3つの時代区分がある。
- 専門家の間では、これまで「AI（人工知能）対IA（拡張知能）」という論争が行われてきた。
- 僕たちと同様に物事の背景にある理由を理解することができる次世代AI、「ニューロシンボリックAI」も生まれている。

第1章

仕事

僕たちの役割は「DJ的」になる

働き方

すべての工程で自分の手を動かすから
作業はAIに任せ、得意な仕事に集中するへ

この職業の「働き方」が変わる

テキスト生成AI——人間を「単純作業」から解放する

テキスト生成AIの代表格であるGPTは、大量のテキストデータ（LLM＝大規模言語モデル）で「学習」されたAIです。

ChatGPTの開発は、「途中まで書かれた文章の次の単語を予測するAI」をつくることから始まりました。

そのＡＩに、インターネット上に膨大にあるテキストデータを学習させたらどうなるか。

すると徐々に予測精度が上がり、文章生成力も上がってきたので、さらに学習させるデータを増やすなど負荷を上げたところ、「（本当に知能があるわけではないが）まるで知能を持って文章を書いている」かのような現在のGPTが生まれました。

高度に学習したこのＡＩにより、人間は、「文字」などに関わる多くの単純作業から解放されるでしょう。**学習済みの膨大なデータをくまなく参照し、こちらが求めているものを提案してくるという意味では、きわめて高度な「予測変換機」というイメージ**です。

パソコンで文章を書くとき、ひらがなを入力すると瞬時に漢字の予測変換が表示されます。要するにＡＩのように漢字のデータを参照し、「あなたが入力したいのは、この漢字ですか？」と逐次、提案しているわけです。

そこで日本人は「これは違う、これは違う……ここで入力したいのはこの漢字」と適切な漢字を選び取る。ChatGPTは、こうしたＡＩと人間とのやりとりを全方位かつ高レベルに拡張したツールといえます。ただし、常に完璧な答えをくれるわけではありません。

ジェネレーティブＡＩには意思がないので、意図的に「嘘をつく」ことはないのですが

「間違える」ことはある。そこで**ジェネレーティブAIが示した答えをチェックし、誤りがあったら正すのは、日本語ネイティブの人が漢字の間違いを見つけるように、ある程度その分野に詳しい人間の役割です。**ジェネレーティブAIは「知能があるかのようにテキスト生成する」ことに長《た》けたツールであり、最終的には人間の知能が必要なのです。

チャット型のジェネレーティブAIには、Web2を支配してきたグーグルやメタも取り組んできましたが、グーグルは出遅れ、メタは少し先走った結果、AIの間違いが多く発生したために大批判を浴びて後退してしまいました。したがって、現時点で最もユーザーインターフェースがよくできていて使い勝手がいいのは、オープンAIのChatGPTだと思います。そのため、ジェネレーティブAIに初めて触れる方にはやはり、これをおすすめします。

GPTの学習モデルであるLLMは、専門家の間では3年ほど前から注目度が高まっていました。そこへ、オープンAIが、2022年11月にウェブ上で誰もが使えるChatGPTをリリースしました。

しかも「チャット」と名づけたように、自然言語による「会話」形式にした。つまり、**友だちとショートメッセージでやりとりできる人なら誰でも（要はデジタルデバイスを使っ**

ている人なら、文字通り「誰でも」使えるという点こそが画期的であり、2023年1月時点の月間アクティブユーザーは、全世界で1億人超えと推定されています。これは、リリースから2ヵ月で到達した数字です。これほどのスピード感をもってユーザー数1億人を達成した消費者向けアプリはこれまでに存在しない、といわれています。

画像生成AI——AIと相談して、ビジュアルを創り上げる

自分が出したオーダーに従って、イラストやデザインが生成されてくるというのは、それだけでも、かなりおもしろいものです。まずはいろいろと試してみて、画像生成AIの使い勝手を試してみるといいでしょう。そのうえで仕事でも活用するなら、**画像生成AIは、ビジュアル的な素材をつくる際のアイデアの「壁打ち相手」として最適**です。

商品パッケージやバナー広告、書籍のカバー、ポスターやフライヤーなどの宣材のデザイン。すべて、画像生成AIに「こういうものがつくりたい」と投げかければ、ものの数十秒で生成物が現れます。

それをたたき台として、検討を重ね、完成品を創り上げていく。人間の役割は「方向性

を示すこと」「ＡＩを引き続きディレクションして案を練り上げること」です。この過程で僕たちが主に使うのは頭脳、発想力であり、手を動かす必要はほとんどありません。

ＡＩとの意思疎通は自然言語で行うため、イメージを言語化して伝えるコツは習得する必要があります。でも、画像生成の作業自体はＡＩがやってくれます。

ですから、たとえば自身に絵心や、デザインツールを使いこなすスキルがなくても、自分が書いた文章にイメージイラストを載せる、アイコンをつくるといったことが、ほとんどコストをかけずにできるでしょう。

また、アイデアは、アウトプットとフィードバックの繰り返しによって鍛錬されていくものです。したがって、**画像生成ＡＩをアイデアの「壁打ち相手」として活用することで、イラストレーターやデザイナーなどプロのクリエイターの生産性や可能性も広がります。**

画像生成ＡＩには、Midjourney、DALL《ダリ》・E、Stable Diffusionなどがあります。これらは画像のタッチやテイストに特色があり、同じ指示を入れてもまったく違うものが生成されます。使いこなしていくには、やはりいろいろと試してみることが早道でしょう。代表的なジェネレーティブＡＩの特徴を次ページの一覧表にまとめました。参考にしつつ、是非、皆さんも気になったものから試してみて頂けたらと思います。

図 3　主要なジェネレーティブAI

名称	特徴	備考
	テキスト生成系	
ChatGPT	大量の自然言語処理に基づく学習データに基づき、高レベルな自然言語の理解能力、回答生成能力を持っている。広範囲のトピックや質問に対応できるため、多様な用途で活用可能。文脈に沿った自然な会話が生成可能である	・2023年5月8日現在、ChatGPTの学習した知識は2021年9月までのもので、それ以降の情報に関しては対応していない ・過去の学習データに含まれるバイアスによって、偏った見解に基づく回答が生成される場合がある
Bing AI	検索エンジンでリアルタイムに検索した結果に基づき、高レベルな回答を生成できる。参照した情報を「出典」として明記する機能を備えているため、最新情報にも対応できる	・マイクロソフト社が提供するサービスであるため、WindowsやOfficeなどの同社製品との連携が強い。他社製品やサービスを使うユーザーにとって不便に感じられる場合がある
Google Bard	Googleが2023年2月に発表したチャット型AI	・2021年にグーグルが発表している、AIによる会話技術「LaMDA」をベースにしている ・今後は、グーグル検索と統合していくことが発表されている
	画像生成系	
Stable Diffusion	キーワードを入力するだけで、対応する画像が自動的に生成される。アカウントの作成や登録なしで利用可能なデモ版が提供されている。 これまではマシンを用意してインストールする必要があったが、近ごろはウェブインターフェイスのものも登場し、簡単に利用できるようになった	・オープンソースの画像生成AI ・OpenAIやグーグルの公開した安全なモデルと比べ、不適切な画像生成の「安全対策」が緩い傾向があり、「問題のある画像」が多数作成される可能性がある ・利用者が生成した画像に関する責任はすべて利用者にあり、法的・民事的な問題が発生した場合、利用者自身が対処することが求められる
Midjourney	描かれるべき絵のイメージやキーワードを入力することで、AIがそれに基づいた画像を生成する。文章でなく、単語を入力するだけでも画像生成が可能。V5.1で、より写真のような表現が可能になったのに加え、アニメ的な画像に特化したniji版もある	・テキストは日本語に対応しているが、英語で入力したほうが高品質 ・チャットサービス「Discord」を利用するツールであるため、Discordへのアカウント登録が必要 ・無料利用では、「1アカウントあたり約25枚」という枚数制限がある
DALL・E2	専門家や研究者を主なターゲットとして提供が開始された画像生成AI。 新規画像生成に加えて、既存画像の編集機能も搭載されている	・使用するためには、待機リストへの登録が必要 ・使用するたびに1クレジット払う必要がある
Adobe Firefly	Adobeが2023年3月に発表した画像生成AI。Adobeのストック画像サービスの画像を学習データにしているため、生成された画像に課題を抱えていないのが最大の特徴。 4月現在、プライベートβ版が公開中	・今後、Adobeの様々なサービスにも組み込まれる予定

AIで変わる仕事

ジェネレーティブAIは、今まで人が手を動かしてこなしてきた「作業」の多くを代わりにやってくれる。それだけ人の手間が省かれ、業務が何倍も何十倍も効率化されるため、人間は「本当に人間にしかできない部分」に集中し、それを拡張していけます。

一方、ジェネレーティブAIの利便性は、あらゆる意味で仕事の「たたき台」をつくるところにあるため、「たたき台をつくる」的な人間の仕事は、AIに取って代わられていくと考えられます。

たとえば下調べをする、下書きをつくる、草案を作成する、何かを手配するといった機械的、定型的、ルーティン的な作業をしている人、あるいは指示待ちの人、言われたことしかやらない人などは、活躍の場が減っていく可能性が高いのです。

ジェネレーティブAIが普及しても、ある職種がすぐに消滅するわけではありません。しかし、職業ごとに必要とされる人数は減っていくでしょう。

AIを使って仕事をすることで、作業的な労力は削減される。いわば**仕事の構造が変わ**

ることで、今まで表層的な「勤務時間」「待遇」といった側面でしか語られてこなかった「働き方改革」が、もっと本質的な意味で起こるだろうともいえます。

では実際に、人間の仕事の構造、そして働き方はどう変わっていくのか。

次に具体例を挙げていきますが、全体に共通するのは、今も述べたように、プロフェッショナルの仕事が「拡張」されることです。

ジェネレーティブＡＩを「パートナー」として使いこなすことで、プロフェッショナルの仕事は大幅に労力削減、効率化されるとともに、さらなる高みに達していける可能性も開かれます。ジェネレーティブＡＩによって人間の「仕事」「働き方」が大きく変わるといったのは、そういう意味なのです。

少なくとも今後数年間は、人間にとって、「ジェネレーティブＡＩの使用を前提とした働き方の可能性」を探る時期になるでしょう。**ジェネレーティブAIを「脅威」「怪しいもの」として見るのではなく、まずは使ってみて「仲良く」なっていけるかどうかが、今後、いっそう飛躍する人と、停滞してしまう人の分かれ道になる**と思います。

ジェネレーティブＡＩを使うことで、働き方が大幅に変わりそうな職業には、どのようなものがあるでしょうか。ここで述べる従来の働き方は、編集部に挙げてもらったものですが、いくつか見てみましょう。

営業 データ集計、提案資料の作成が高速化する

営業職の仕事には、自社の製品やサービスが、顧客の困り事を解決したり、要望を叶えたりできることをアピールし、契約を取りつけるプロセスがあります。

業務の流れは、一般的に、「①どこの誰に営業をかけるか決める→②市場動向などのデータ集計&先方のニーズに合わせた提案資料の作成→③営業メール作成・送信→④先方に出向いてプレゼン→⑤成約したら契約書作成」といったところでしょう。この間、随所に「上司に提出する報告書作成」なども入ってくると思います。

今まではすべて自分でこなしていましたが、これからは、全業務の「下準備」にあたる部分は、まずジェネレーティブAIに任せることができます。今後、営業職の業務は、おおむね次のようになっていくでしょう。

①ジェネレーティブAIに「こういう製品を売りたいが、どこの誰に売り込んだらいい

か？」と尋ね、営業先の候補リストを作成してもらう↓選ぶ
②ジェネレーティブＡＩに、市場動向などのデータ集計と、そのデータを元にした提案資料をつくってもらう↓チェック、修正する（ＡＩ作成の提案資料があまりにも的外れだったら、要点を伝え直して、再度、作成してもらってからチェック、修正・編集する）
③ジェネレーティブＡＩに営業メールを書いてもらう↓チェック、修正、送信する
④ジェネレーティブＡＩに、セールストークの「台本」や「スライド」をつくってもらう↓チェック、修正したうえで先方にプレゼンする
⑤成約後、ジェネレーティブＡＩに契約書をつくってもらう↓チェック、修正する

事務 ▼ 大半の書類仕事が一瞬で終わる

事務職の業務は多岐にわたりますが、業務のなかには定型フォーマットを元に手を加えていく仕事もあると思います。するとおそらく、見積書、請求書、納品書、契約書、覚書などの書類作成、データ入力など多くの業務が「ジェネレーティブＡＩにたたき台をつくってもらい、自分はそれをチェック、修正する」というかたちになっていくでしょう。

たとえば、ジェネレーティブＡＩに「〇〇案件の契約書をつくってください。条件はこれ、フォーマットはこれです（条件とフォーマットを添付）」と指示し、出てきたものを自分がチェック、修正するという要領です。

マーケター ▼ＡＩと相談しながら、売れる仕組みをつくり出す

マーケターの仕事は、アンケート調査や市場動向といった様々な情報を元に「売れる仕組み」を考案することといえるでしょう。具体的には新規企画を提案する、商品コンセプトを決定する、広告戦略を練るなどですが、効果を上げるためのアプローチとして、データを正確に把握し、ターゲットとなる消費者層の行動や思考の傾向を的確に分析する、といった手法が取られることがあります。

いうまでもなく、「データ」「分析」といった定量的・数学的な処理にかけては、ＡＩは人間の能力をはるかに凌ぎます。

となると、これからのマーケターの仕事のプロセスには、まずデータ集計や分析をジェネレーティブＡＩに作成してもらったうえで、ジェネレーティブＡＩと「ブレスト」しな

がら新たな売れる仕組みを創出していく、という段階が加わることになるでしょう。

広報　プレスリリースの制作が簡単に

広報の仕事は、自社の製品やサービスの魅力を広く伝えること（PR）などを通じて、自社の社会的認知度を上げることが中心でしょう。

広く伝えるためには「資料」「素材」、そして「計画」が必要です。そこで、まずジェネレーティブAIに草案をつくってもらうプロセスを経ることで、プレスリリースの作成は、今よりずっと容易になるでしょう。

また製品やサービスによって、どのメディアに取り上げてもらいやすいのか、AIのサポートで配信メディアのリストアップや広報計画を練り上げることができるようになります。

教師 ▼「おもしろい学び」を創造できる

「授業」というと、今までは教科書に沿って子どもたちに知識を授けることが中心だったのではないかと思います（もちろん、それが学校での学びのすべてではありませんが）。今や、「知識があること」よりも、「創造的にものを考えられること」のほうが圧倒的に価値の高い時代です。

すでに日本は大幅に後れを取っている感もありますが、そんな能力を伸ばせる教師が、今後ますます求められるようになるでしょう。

では、どうしたら「創造的にものを考える力」を伸ばせるか。

子どもの創造力を刺激するには、「おもしろい学び」が欠かせません。しかし、自分自身が画一的な教育システムのなかで育ってきてしまった教師が、そんな授業の計画を、自分ひとりで行うことは難しい部分もあるかもしれません。

そこでもジェネレーティブＡＩが心強い助っ人になるはずです。たとえば国内外の教育実践例をひととおり示してもらえば、それを元に、従来とはひと味もふた味も違った効果的な授業計画を練ることができるはずです。

また、授業や宿題にジェネレーティブAIを取り入れ、たとえば「ジェネレーティブAIで調べたことを検証し、自分なりにまとめてみよう」といったプロジェクトを行うことで、よりクリエイティブな学びを創出することもできるでしょう。

研究者・研究開発職 調査、研究の労力が軽減する

理系の学問でも文系の学問でも、研究には「リサーチ」が欠かせません。

研究者のなかでも、特にデータサイエンティストの仕事は様変わりするはずです。

データサイエンティストの仕事は、社会やビジネスの課題を洗い出し、それを解決するためにデータを活用すること。データの収集、分析のみならず、その前提となる課題設定においても、ジェネレーティブAIが強力なビジネスパートナーとなるでしょう。

社会の動向や、あるビジネススキームをジェネレーティブAIに検討させ、取り組むべき課題のリストを提示させる。それと自分の見立てをすり合わせて課題を絞る。そしてジェネレーティブAIとともにデータの収集や分析を進めていくという具合です。

その他、文系・理系を問わず、研究者は、図書館で本を借りる、学会誌で最新論文を読む、各地の大学図書館にアクセスして論文を検索するなど自力でリサーチしてきましたが、その大部分はジェネレーティブAIに任せられるようになるでしょう。

ジェネレーティブAIと相談しながら、研究方法を検討したり、実験やフィールドワークの計画を立てたりと、研究のロードマップを描くこともできます。

あるいは、研究費を獲得するための手続きや大学内の雑務など、研究以外のことはジェネレーティブAIがやってくれるようになるはずです。

ジェネレーティブAIをパートナーとして使いこなすと、このように自分ひとりでこなさなくてはいけないことが大幅に減る分、研究者の本分である「考えること」に集中できるようになるのです。

企業の研究開発部門も同様です。必要なデータ収集、リサーチ、実験、分析などをジェネレーティブAIと協働して行うことで、新製品の開発にかかる労力を大幅に削減できるでしょう。

ただしジェネレーティブAIにリサーチをさせる際には、1つ注意が必要です。ジェネレーティブAIは、オーダーにうまく答えられないときなどに、実在しない架空の論文をでっち上げるなど、嘘をつくことがあるのです。

この先、ジェネレーティブＡＩの性能がさらに高くになるにつれて、その頻度は下がっていくはずですが、当面は、提示された論文を別のジェネレーティブＡＩで検証する、検索エンジンで調べるなどの裏取り作業が必要です。ちなみに著名な学術雑誌「サイエンス」は、ジェネレーティブＡＩによって書かれた論文は認めない、との方針を２０２３年1月に公表しています。

ライター▶原稿執筆は、草稿をブラッシュアップする作業に変わる

自分の経験に基づいて考えをまとめる。インタビューをまとめる。調べたことをまとめる。そのために、今までは何もないところにいちから言葉を紡いでいくのがライターの主な仕事でしたが、これからは、より「編集」的な面が強くなっていくでしょう。

というのも、ざっくりとした「草稿」はジェネレーティブＡＩでも作成可能です。それをブラッシュアップする、つまりオリジナリティと魅力を兼ね備えた文章へとリライトし編み直す「編集」のプロセスこそが、その人にしかないクリエイティビティを発揮できる

ところだからです。

したがって、「テーマ」「文脈」「文体」などの指定とともに、自分の考えをまとめたメモやインタビューの文字起こし、あるいは調べた内容をジェネレーティブAIに添付する→AIが出した「草稿」を編集する、というのがライターの主な仕事になっていくと思われます。

編集者 ▼構成案、書籍タイトルの検討が容易に

著者やライターが執筆した原稿を編集するだけでなく、上司や著者に企画立案する際の構成案の作成、書籍タイトル、帯などに載せるコピーの検討なども編集者の重要な仕事でしょう。

今までは、売れ筋の書籍の内容やタイトルを参照する、街中に溢れている広告の文言からインスピレーションやヒントを得る、辞書や類語辞典を引くなどして、基本的には、自分ひとりの頭で複数案をひねり出してきました。

この「様々なものを参照しながら検討し、案を練る」というプロセスにジェネレーティ

ブAIを介在させることで、編集者の仕事は大幅に省力化、効率化され、しかも、より発想豊かになるでしょう。ジェネレーティブAIを使って案を練ることは、ものすごく多様な知見の持ち主とブレストするも同然だからです。

デザイナー　デザイン案の創出が効率的に

今まではゼロからデザイン案を練っていたデザイナーの仕事も、画像生成AIをアイデア案の相談相手として使うことで、相当な効率化が図れます。

まず依頼主のオーダーをジェネレーティブAIに伝えて、デザインのたたき台をつくってもらい、それをデザイナー自身のクリエイティビティを使って調整する。この要領で、自分ひとりで考えていたころより、デザインの幅が広がる可能性もあります。

したがって、画像生成AIによって、デザイナーの仕事が「なくなる」わけではありません。デザイナーの仕事もまた、ジェネレーティブAIによって拡張されるのです。

作業的な部分が省力化、効率化されるぶん、以前よりもデザイナー自身のクリエイティビティが発揮されやすくなるでしょう。こうして、まさしく「プロフェッショナル」ならではの、より高度で豊かな仕事が可能になっていくというわけです。

アナウンサー

▼人間がニュースを読まなくてよくなる

すでにＡＩがニュースを読み上げるニュース番組があるように、「ニュースを読む」という仕事は、必ずしも人間だけでするものではなくなっていくでしょう。とはいえ、アナウンサーが完全にＡＩに取って代わられるというわけではもちろん、ありません。

むしろ「ニュースを読む」という仕事をＡＩに預けてしまう分、番組ゲストの専門家から情報や意見を引き出す、番組内で自分の意見を述べるといったニュースキャスターのような役割が、アナウンサーの担う領域になっていくかもしれません。そしてこれらの仕事もまた、ＡＩを「知見豊かなブレスト相手」や「有能なリサーチャー」として使うことで、よりハイレベルになっていくでしょう。

士業

▼膨大な書類作成が効率化される

弁護士、会計士、税理士などの士業には、膨大な書類作成仕事がつきものです。しかし，そのほとんどがフォーマットのあるものなので、やはり大半の作業をジェネレーティブAIに任せることができるでしょう。

士業は、依頼主が健全な社会生活を送っていくために知識と労力を注ぐエキスパートです。もちろん、書類を綿密にチェックし、各種届け出、申請などの手続きをするのはエキスパートの仕事であり続けますが、そのために必要な書類仕事をジェネレーティブAIにさせることで、大幅な業務効率化を図れるのです。

プロデューサー・ディレクター・構成作家

企画書・台本作成、進行管理は「アイデアの精査」に変わる

テレビ番組の企画を考えるプロデューサー、本番の進行管理をするディレクター、台本をつくる構成作家の仕事も、ジェネレーティブAIを使いこなすことで、かなりの省力化、効率化を図れるでしょう。一例を挙げてみます。

・プロデューサー……大括《おおくく》りなテーマ（お題）、予算などの条件をジェネレーティブAI

に与えて、企画の草案を生成させ、それを検討して企画を練り上げる。
・ディレクター・構成作家……番組のテーマ、時間枠、出演者などの条件をジェネレーティブAIに与えて、台本の草案を生成させ、それを検討して台本を練り上げる。

いずれも、「ジェネレーティブAIにたたき台をつくってもらう↓それを検討して練り上げる」というプロセスになることで、仕事で、その人本来のクリエイティビティが発揮されやすくなるという点は同じです。ここでも、プロフェッショナルの仕事の「拡張」が起こるのです。

プログラマー ▼簡単なプログラムは書かなくてよくなる

シンプルにいえば、プログラミングとはコンピューターに対して「こういうときは、こういう処理をして」という指示書（コード）を作成すること。それにはプログラミング言語で組み立てる必要があるのですが、今後は、最初から最後まで自分で書かずに済むようになります。

「こういうプログラムを書いてほしい」とジェネレーティブＡＩに指示を伝えれば、そのとおりに書いてくれます。1回で完璧なプログラミングができるとは限らないのですが、こちらが欠点を見つけるたびにジェネレーティブＡＩに指摘すれば、すぐに修正してくれます。

複雑なプログラミングだと最終的に人が綿密にチェックし、修正を加える必要がありますが、簡単なプログラミングならば、ジェネレーティブＡＩと「相談」しながら、自分はいっさい手を動かすことなく完成させることができます。

プログラマーの仕事は、ジェネレーティブＡＩを使ってコードを書くこと、およびジェネレーティブＡＩが書いたコードを精査し、ちゃんと機能するように修正することになっていくでしょう。

AIで生まれた新しい仕事

プロンプトエンジニア
「職人技」のプロンプトを作成

ジェネレーティブＡＩで、今ある様々な仕事のかたちが変わる一方、新たに生まれる職業もあります。

筆頭に挙がるのは、ジェネレーティブＡＩに作業をさせる際の指示文句、「プロンプト」に関するものです。こちらの望み通りの生成物を、ジェネレーティブＡＩがアウトプットしてくれるかどうかはプロンプト次第です。

人間でも、上司の指示の出し方によって、部下のパフォーマンスが変わることがありますが、それに似ています。意思を持たず、きわめて指示主に忠実なＡＩだと、なおのこと、いいプロンプトならアウトプットもよくなり、悪いプロンプトではアウトプットも悪くなるというのが顕著に起こるのです。

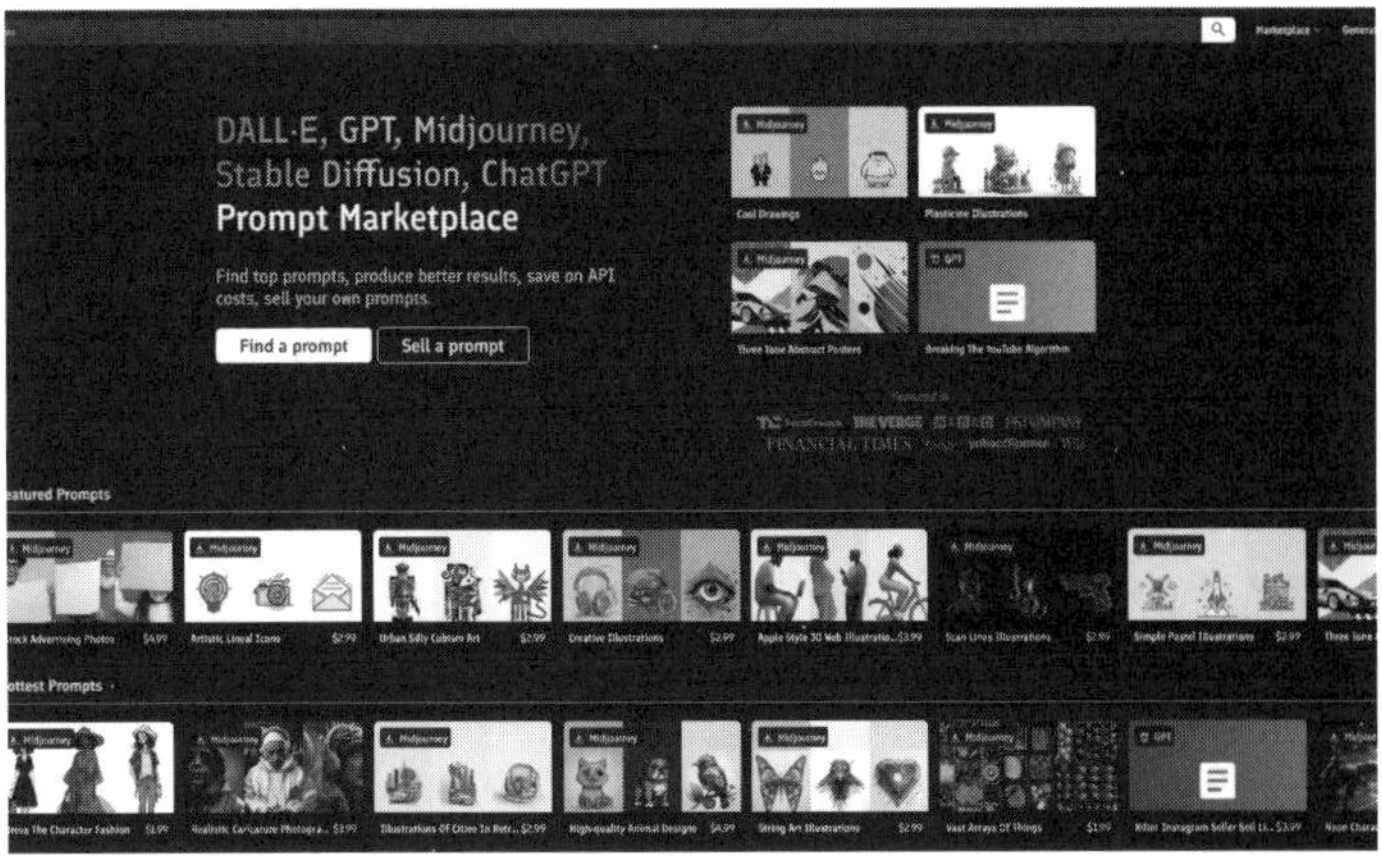

PromptBaseでは、AIに高精度のアウトプットを提示させることができる精緻なプロンプトが販売されている。購入したユーザーはそのプロンプトをたたき台として自分流にアレンジして使用するなどしている。
出典：https://promptbase.com/

そこで生まれた新たな職業が「プロンプトエンジニア」です。

「望ましいアウトプットを引き出すのに適切なプロンプトを作成する」というのが新しいスキルになっているなか、プロンプトエンジニアは、自分が書いたプロンプトを販売しています。顧客は、まだジェネレーティブAIを使い慣れていないユーザーや、自分でプロンプトを書かずに、手っ取り早く望み通りの生成物を得たいユーザーです。

プロンプトは、PromptBase（上写真参照）などのプロンプトマーケットで購入できます。

マーケットを開くと、「Midjourney」「DALL・E」「Stable Diffusion」などとカテゴリーが分かれており、「こんな感じのイラストが生成されるプロンプトです」という見本画像がズラリと並んでいます。そのなかから好みのものを選んで購入すると、プロンプトが入手できる。たいていは米ドル決済で、価格帯は約2〜5ドルといった感じです。

僕自身も、プロンプトマーケットでプロンプトを入手することがあります。なお、プロンプトマーケットには、新しいものも次々と登場しており、無料のものも多くあります。

望み通りの生成物を得るためというよりは、「こういうプロンプトを入力すると、こういうアウトプットになるんだ」という勉強のためです。プロンプトエンジニアという新しい職業は、人々がジェネレーティブＡＩという新しいツールを使いこなすための「教材」としても機能しているわけです。

ＡＩで大転換する産業構造

ビジネスモデル

独自データ×ジェネレーティブＡＩで起きる構造変化

ジェネレーティブＡＩは、既存のビジネスモデルにも変革をもたらそうとしています。データを参照して答えを導き出すのがジェネレーティブＡＩなので、データの蓄積がない、あるいは不十分だと、いくらユーザーが上手なプロンプトを入力しても、答えの精度は下がってしまいます。

たとえばChatGPTは、物事の「構造」を理解したうえで答えを導き出すのではなく、膨大なデータをパターン認識して、「それらしい答え」を出すようにできています。

そのため、ときには関連性のない「事実A」と「事実B」を勝手に結びつけて、ありもしない「事実C」を捏造し、「もっともらしい答え」を提示することがある。「事実Aと事実Bがあるなら、こういう事実Cもあるはず」と勝手にパターン化して、憶測でものをいうという感じです。

さて、そんなChatGPTに、たとえば「東京で評判の天ぷら屋さんトップ5を出して」と指示したとしましょう。非常に簡単な問いかと思いきや、ChatGPT-3.5だと、たいていの場合、1つは嘘が混ざっていました。たとえば「実在しない店」が入っている、というように。

旧版のChatGPT-3.5よりも格段にデータ蓄積量の多いChatGPT-4だと、こうした間違いは激減するのですが、ともあれ、パターン認識で答えを出すジェネレーティブＡＩには「ときどき勝手にパターンをつくって誤った答えを出す」という大きな難点がある。しかし実はそこに、新たなビジネスモデルの可能性があります。

引き続き「東京で評判の天ぷら屋さんトップ５」の例で見ていきましょう。

世の中には、レストランの店舗情報を集めたさまざまなサービスがあります。そこに蓄積されているデータは正しいと見ていいでしょう。「ありもしない架空の店」なんて、まず載っていません。

だとしたら、先ほど挙げたような「ジェネレーティブＡＩが生成した嘘混じりの答え」に、「正しいデータ」が蓄積されたサービスのフィルターをかけた「正式な答え」を提示されるようにすれば、嘘を排除することができます。

世の中には、個人（もしくは企業）の個別のデータを多く持っているサービスが、すでにたくさんあります。それが何らかのかたちでＡＩと合わさることで、より顧客満足度を高めていくという「データ×ジェネレーティブＡＩ」のビジネスモデルが、今後、増えていくと予想できるのです。

もう１つ、先ほどよりも少し複雑な例を挙げましょう。

たとえば、僕が「今日の夕食は外食したい。自宅から徒歩10分以内、値段は5000円以下で、おいしい料理とお酒を楽しめるレストランの候補を出して」とChatGPTに入力したとします。希望する条件は「今日の夕食」「自宅から徒歩10分以内」「5000円以下」「おいしい料理とお酒」ですが、これだと、おそらく僕は満足できる答えを得られないでしょう。

まず、「今日の夕食」というのは「ディナー営業をしているレストランのデータ」を参照すればいいのでクリア。しかし、ChatGPTは僕の「自宅」がどこにあるのかを知りません。ただし、これは僕の位置情報へのアクセスのパーミッションを与えることで「現在地」に自動的に置き換えてくれる可能性はあります。

次の「5000円以下」は「営業時間」と同様、客観的・定量的な条件なのでクリアできるとして、次の「おいしい料理とお酒」となると、もうお手上げです。まだ僕と出会ったばかりのChatGPTは、僕がどんな料理やお酒を「おいしい」と感じるのか——つまり僕の「好み」を知りようがないからです。

でも、ChatGPTは何とか答えを出そうとします。

膨大なデータに基づいて答えを出すといっても、ChatGPTが参照できるのは「公開されている情報」だけです。となると、僕が入力した条件を、おそらく「ディナー営業をしているレストラン」「現在の位置情報から徒歩10分」「5000円以下」「レビューの評価が高い」などと、「公開されている情報で応えられる条件」に解釈し、答えを提示するでしょう。

そうすると、たとえば、僕が「和食」よりも「イタリアン」、「日本酒」よりも「ワイン」のほうが好きだとしても、ChatGPTが提示した候補には「(レビューがいい)和食店」が入っている、といった結果になる可能性があります。

しかも、先ほど述べたように、おそらくそこには「嘘の情報」も多少、混ざっているでしょう。結果として、僕は「あんまり魅力的な候補がないな」「役に立たないな」と思ってしまうというわけです。

ここで気になる点は、AIが「レストラン」のデータはたくさん持っていても、「僕」という人間に関するデータはほとんどないために、両者のマッチングがうまくできない、ということです。では、たとえば僕が「グルメサイトA」経由でよくレストランを予約していているとして、仮に「グルメサイトA」にChatGPTが搭載されていたら、どのようになるでしょうか。

あくまでも仮定の話ですが、「グルメサイトA」には「僕」という人間の食の嗜好のデータ（過去に予約したレストランなど）が溜まっています。だからChatGPTは、僕に「おいしい料理とお酒」といわれたときに、グルメサイトAに溜まっているデータも一緒に参照することで、より僕個人にとって満足度の高い答えを出すことができる。つまり、ジェネレーティブＡＩが扱えるコンテクスト（文脈）が重要、というわけです。なお、ジェネレーティブＡＩの個人情報の取り扱いについては、欧米などで大きな課題になってきています。

現在、ジェネレーティブＡＩは、有料化へ向かう流れのなかにあります。ただ、もともと無料だったサービスがすべてジェネレーティブＡＩを取り込むことで有料化されるわけではありません。

サービスを提供する側としては、多くのユーザーに使ってもらわなければ意味がありません。有料化することで、ユーザーが離れてしまうのは避けたいでしょう。

だから「課金」という壁を設けずに済むよう、ジェネレーティブＡＩのコストはサービス側が支払う。ＡＩ搭載により顧客満足度を上げ、より多くのユーザーを集める。こうした広告媒体としての価値を上げ、収益を引き続き広告で得ていくモデルも登場するでしょう。

一般には公開されていない独自のデータセットを持つサービスとジェネレーティブＡＩが合体する。ここでも従来の検索エンジンでは難しかったことが可能になり、いよいよ、「グーグル一強時代」は終わりへと向かうのかもしれません。

POINT

●ジェネレーティブＡＩには大きく分けて、「テキスト生成ＡＩ」と「画像生成ＡＩ」がある。
●あらゆる仕事の「たたき台」「草案」作成の多くはジェネレーティブＡＩが代行し、人間の仕事はＡＩによる「筋のいい選択肢」を精査、あるいはブラッシュアップすることが中心になる。
●人間によってかたちづくられてきたあらゆる職業、ビジネスモデルが、今すぐ「淘汰」されることはないが、従来の方法から「ＡＩを使うこと」を前提とした方法への転換を迫られている。

仕事

決まった手順で合理的に進めるから
「おもしろさ」で差別化を図るへ

仕事はDJ的なものになる

「掛け合わせ、練り上げる」僕たちの仕事

ジェネレーティブAIがますます進化し普及していくと、人間の仕事、働き方、ビジネスモデルはどう変わっていくのか。

ここまで具体例を見てきましたが、概念的にまとめると、人間の仕事は総じて「DJ」的になっていくと思います。

僕自身もときどきDJをしますが、DJは基本的に、自分では音楽をつくりません。いろんな音楽の断片を寄せ集めてきて、機材でエフェクトをかけるなどして、コラージュのように1つの音楽を構成します。

しかもDJには、音楽理論の知識は必須ではありません。むしろDJに求められるのは理論に基づく作曲能力ではなくサンプリング、つまり「どんな断片を掛け合わせ、どのように機材を扱ったらかっこいい音楽になるか」というセンスです。

端的にいえば、**「ゼロから生み出すこと」ではなく「掛け合わせ、練り上げること」が、DJのクリエイティビティの見せどころです。そこが、ジェネレーティブAIを使って仕事をするのと、よく似ている**のです。

72ページでご紹介した具体例でもわかるように、ジェネレーティブAIを仕事のツールとして使いこなすと、自分の手で「ゼロから生み出す」というプロセスは、ほぼなくなります。

ジェネレーティブAIに指示をしてたたき台を生成してもらい、それをブラッシュアップして成果物を練り上げる。上手なプロンプトを入力し、筋のいいたたき台を生成させることができるかどうかで、最終的な成果物のクオリティも違ってきます。

また、プロンプトを書く際にプログラミングの知識は必須ではありません。

たしかに、知っていると役立つことはありますが、知識以上に必要なのは、ジェネレーティブAIが自分の意図通りに働いてくれるよう、言語化して上手に並べるセンスです。

プロンプトは自然言語の羅列です。つまり、ジェネレーティブAIを使って仕事をする際には、**「どんな言葉を掛け合わせ、どうジェネレーティブAIを扱ったら、筋のいいたたき台が生成されるか」を考えるセンスが求められる。その点においても、DJと同様、「掛け合わせ、練り上げること」が人間のクリエイティビティの見せどころ**といえるのです。

草案を検討し、ベストなものを選ぶ

AIのテクノロジーは、どんどん進化を続けています。僕自身は、いずれAIが人間を超えるという立場は取っていませんが、人間の「ツール」として、今とは比べものにならないくらい有能になっていくことは間違いありません。

中長期的に見れば、そのなかで「人間にしかできないこと」の範囲も少しずつ変わっていくとは思いますが、ゼロになることはないでしょう。

ジェネレーティブＡＩが生成した「たたき台」をチェック、精査し、ベストなものを選ぶ、あるいはベストなものへと練り上げるというのが、人間の主な仕事になっていくと思います。

ジェネレーティブＡＩは、現在は、かなり頻繁に間違えます。したがって、自分が間違いに気づけないような、まったく知らない分野でジェネレーティブＡＩに頼るのは危険です。

一方、ある程度**自分が理解している分野のことならば、ジェネレーティブAIは非常に使えるツールになります。**エラーをチェックする手間を割かなくてはいけないといっても、常にゼロから自分で手を動かして生成するより、ジェネレーブＡＩを使ったほうが、格段に仕事の効率は上がります。

僕は、ＡＩにコードを書かせるときに、よくそう感じます。

かなり複雑なコードでも一瞬で生成してくれるのですが、仮に10個のコードを書かせたとして、たいていは、そのままで機能するものは1つもありません。どこかがちょっとだけ間違えている。そこを見つけて修正するわけですが、それでも、感覚的には自分でゼロから書くより100倍速いのです。

このような変化が、あらゆる分野で起こっていきます。**まずジェネレーティブAIに仕事をさせて、それを自分の目でチェックし、誤りがあったら正す。こうして全体のパフォーマンスを上げていくというのが、新時代に活躍する人の働き方**として定着していくでしょう。

「合理性」ではなく「おもしろさ」で評価される時代へ

ジェネレーティブAIが有能なツールになればなるほど、「人間にしかできないこと」をすることが、人間の仕事になっていきます。では「人間にしかできないこと」とは何かというと、「おもしろいこと」「風変わりなこと」です。

ジェネレーティブAIは、いってみれば、「ものすごく物知りな優等生（ただし、ときどきすごい嘘をつく）」です。

クリエイティビティらしきものがないわけではありません。特に最新のGPT-4を搭載したChatGPTやBingは「○○をテーマに俳句を詠んで」「昭和の夫婦《めおと》漫才風の漫才を書いて」といったオーダーに対して、それはそれで、なかなかおもしろい作品を生成できるようになっています。

GPT-4では、テキストで出すオーダーだけではなく、画像を交えたオーダーにも答えられるようになる見通しです。写真やイラストの「意味」を理解し、オーダーとして受け取って、アウトプットを生成できるようになる予定です。

しかし重要な事実は、「ジェネレーティブＡＩの生成物は、蓄積された過去のデータのサンプリングにすぎない」ということです。

もちろん、**人間のクリエイティビティも過去のデータを多分に参照したうえで生まれるものですが、そこに「自分」という人間ならではの「ひねり」を加えることは、人間にしかできません。**

ジェネレーティブＡＩに「ひねりを利かせて」とオーダーすることはできます。しかし、そこで利かされる「ひねり」も、結局のところ過去データのサンプリングにすぎないということです。

この話の根底には、「クリエイティビティとは何か、それはどこからやってくるのか」

という非常に深い問いがあるのですが、本書でそこまで踏み込むのはやめておきましょう。

そのうえでいうならば、いくらジェネレーティブＡＩが進化し、多少なりとも「おもしろいこと」「風変わりなこと」ができるようになっても、「人間ほど高次元なレベルではできない」という仮説を僕は立てていますが、一方で、ジェネレーティブＡＩは人間を超えるようになると信じる人たちがいることも事実です。

ジェネレーティブＡＩは、とんでもない間違いをおかすことがありますが、膨大なデータを参照して整合的な答えを導き出すという、きわめて合理的な存在です。人間が第一にジェネレーティブＡＩに求めるのも、そうした合理性です。

そして**合理性という点で優れているＡＩが浸透すればするほど、人間が「合理的であること」の重要性は、どんどん薄れていくでしょう。**

合理性は新しいテクノロジーが担保してくれるなかで、「どれだけ整合性の高い優等生的な答えを出せるか」よりも、「どれほどおもしろい、風変わりなことができるか」――自分という存在由来の「ひねり」、これまでになかった新たな発想を加えることができるかどうかで、評価される時代になっていくでしょう。

いいかえれば、以前にも増して、**平均点を取ることよりも、尖った個性を発揮すること のほうが高く評価される時代が訪れている**のです。そのように考えると、「まず平均的で あること」を重んじ、それぞれの個性の発揮は後回しにされがちなまま、ここまで来てしまった日本社会は、いよいよ待ったなしの変革の時代を迎えようとしているといえるでしょう。

POINT

- **AI時代、僕らの仕事は、既存の選択肢をコラージュ的に組み合わせてつくりだす、DJ的なものになっていく。**
- **ジェネレーティブAIが提示する情報は正確性に欠ける部分もあり、それらの内容を精査するためには、人間側に、その分野についての専門知識が必要とされる。**
- **データに基づき「合理的」な選択肢を提示するジェネレーティブAIの性能が上がるほど、「おもしろいこと」「風変わりなこと」ができる人の重要度が高まっていく。**

AIリテラシー

限られた人だけが知っている知識から
誰もが日常的に使うツールへ

理解できれば、「AI」は「ツール」に変わる

これからの新教養＝AIスキル

ＡＩの歴史はインターネットの誕生よりも前に始まりました。以来、「ＡＩ」は「いずれ完成した暁には人間を超えてしまうであろう、開発途中の未知のテクノロジー」として認知されてきました。これはちょっと不思議な言い方になりますが、「現在のテクノロジーでは、まだできないこと」を「ＡＩ」と総称してきた、とい

う見方もできます。

しかし現実問題として、ＡＩはまだ「完成していない」「未知なるもの」なのかといえば、そんなことはありません。ＡＩは様々な実用レベルで完成しており、僕たちの生活の至るところで使われています。

それを明確に「ＡＩ」として意識している人が少ないのは、「できなかったこと」ができるようになり、ツールとして実装されたＡＩは、そうなった時点で「ＡＩ」とは呼ばれなくなるからでしょう。

つまり、**「ツール」になったとたんに別の名前を与えられるため、「ＡＩ」はいつまで経っても「未知のテクノロジー」であり続ける**というわけです。

昨今、急激に利用者が増えつつあるChatGPTも、みんな、初めて触れてからしばらくの間は「最新のＡＩがすごい！」と、使うたびに驚きの連続ですが、きっと、あっという間に慣れて、当たり前になっていくでしょう。

そして人間社会に浸透しきったころには、おそらく新しい呼び名がついて、「ＡＩ」とは認識されなくなると思います。

「予測変換ＡＩ」に対する認識は「予測変換機能」になり、そしておそらくは、現在「最新のＡＩ」旋風を巻き起こしているChatGPTも、いずれは「自動テキスト生成ツール」や「チャットツール」に変わっていく。**ＡＩが進化するにつれて、人間のなかの「ＡＩの定義」は少しずつ変わる**といってもいいかもしれません。

「シンギュラリティ」は訪れるのか

ＡＩのテクノロジーに取り組むエンジニアのなかには、「ＡＩによって人間の機能を最大限に拡張したい人たち」がいる一方で、「人間を超えるＡＩをつくりたい人たち」も存在します。

後者はこの10年ほどの間で日本でも大きな話題になった「シンギュラリティ」、つまり、ＡＩが指数関数的に成長することによって、そう遠くない未来、人間に取って代わる「技術的特異点」が訪れると信じる人たちです。そのタイミングは２０４５年といわれてきました。

両者は「テクノロジーを進化させたい」という点では一致することから、ともに研究に勤《いそ》しんできた部分も多いのですが、根底にある動機や描いている展望、未来像は大きく異なります。

それでは、「未知なるテクノロジー」としてのＡＩは、今後どうなっていくのでしょうか。

現段階からもっと進化したら、すでに別名で浸透している「隠れＡＩ」＝「人間の機能を拡張しているＡＩ」に留《とど》まらず、本当に「人間を超えるＡＩ」が登場するのでしょうか。

「ＡＩは人間を超えるすごいもの」というイメージは未だに世間でも根強く、先ほど述べたように、そこを目指しているエンジニアたちもいます。

開発中のＡＩにいろいろな質問をすることで、ＡＩに魂があると確信するようになり、それを公表したことが、機密保持契約違反になったグーグルのエンジニアが解雇されたというニュースも報じられました。

もともとは、チューリング・テストに合格すればＡＩのテクノロジーは最高峰に達したと見なせるとされていました。その成功をもってしても「ＡＩは完璧とはいえない」というのは、微妙にゴールポストが動かされた感も否めません。

しかし少なくとも、テストを行ったエンジニア本人は、「ＡＩは人間と同等の存在になった」と本気で信じた。だからこそ、そのように報告したわけです。

こういう話を聞くと、人間と同等の能力を持つＡＩは開発可能であり、同等になることが可能なら、いずれＡＩが人間を超える日も訪れると思えるかもしれませんが、はたして、どうか。シンギュラリティは、いつか訪れるのでしょうか。

結論からいえば、**シンギュラリティが訪れるか否かを問うこと自体に意味はないだろう、というのが僕の見方**です。

実際にＡＩの歴史を見てみると、「新しいことができるように進化しては、便利ツールとして浸透する」ということの繰り返しです。

どれだけ進化し、人間がやってきたことを肩代わりできるようになっても、やはり「人間そのもの」とは違います。

現にChatGPTやMidjourneyのように、あたかも自分でものを考えて何かを生成するかのようなＡＩが出てきてもなお、大半の用途は、人間が使う便利な「ツール」としてのものです。

こうしたことも考え合わせると、**あくまでＡＩは「人間の機能を拡張させる便利ツール」であり、主体としての人間は存在し続けます。「人間を超える」というコンセプト自**

体に意味がないのではないかと思います。

今後、本当に必要になっていくのは、これまでにも述べたように人工知能（Artificial Intelligence）ではなく拡張知能（Extended Intelligence）という発想――「マシン対人間」という対立構造ではなく、「人間とマシン」という観点から、両者が協働できるシステムを検討していくことだと僕は考えているのです。

POINT

- **これからは、誰もが仕事や日常生活のなかで「当たり前」のようにＡＩを使う時代になっていく。**
- **ＡＩは、理解が進むことで、いつしか新しい呼称がつき、「ＡＩ」として認識はされず、「新しいツール」になる。**
- **僕たちは、人間のできることを増やしていく「ツール」としての「拡張知能」という発想に基づき、人間とＡＩがともに働いていくことを前提としたシステムを検討していくことが大切。**

第2章

学び方

必要な学びをそれぞれが選択するようになる

独学

苦手なことも含めて「体得」するから
自分の興味関心を追求するへ

誰もが「ひとりで学ぶ」時代が始まる

テクノロジーを活用して独学する

テクノロジーは、今までにも様々なかたちで社会を変えてきました。テクノロジーが生んだ新しいツールが普及するたびに仕事が変わり、働き方が変わり、そして教育や子育て、学びそのもののかたちも変わってきた。今、急速に広まりつつあるジェネレーティブＡＩも、その延長線上にあります。

この新しいツールを得たことで、仕事は「ゼロから自分で生み出すもの」から「ＡＩが出した答えを検討し、練り上げるもの」へと変わっていきます。

これと同様、**「学び」のかたちも、「自分でゼロから学ぶもの」から「ジェネレーティブＡＩが提案したデータや知識を活用しながら、課題や問いに答えていくもの」へと変わっていく**でしょう。

この部分については、異論はあると思います。

「知識は、自分でゼロから学んでこそ身につく」という考え方もあるでしょうし、僕自身、それに賛成できる部分もあります。**ジェネレーティブＡＩを用いて学ぶか、用いずに学ぶかは「是非」の問題ではなく、「選択」の問題**なのではないでしょうか。学ぶジャンル、学ぶ目的に応じて、個々が選択していけばいいと思います。

長い間、英語環境で育った僕にとって、得意な言語は英語だといえます。そんな僕にとって、日本語で文書作成しなくてはいけないというときに、「漢字の予測変換」は欠かすことのできないツールですし、今はジェネレーティブＡＩにもかなり助けてもらっています。

特に日本に戻ってきてからは、仕事相手のほとんどが、日常生活で英語を使う機会が少ない日本語ネイティブの方たちです。

そのため、皆がメッセージアプリなどで日本語を使って盛んにやりとりしているなかで自分の意見をいわなくてはいけない、あるいは、きちんとした日本語でメールを送らなくてはいけない、などといった局面がたくさんあります。

そこで僕がどうしているかというと、「これを英語に直して」というプロンプトとともに日本語ネイティブのテキストのやりとりをChatGPTに入力します。あるいは、「これを日本語に直して」というオーダーとともに、考えたことを英語でChatGPTに入力します。すると、たちどころに英訳されたテキスト、和訳されたテキストが生成されます。

僕自身は、いっさい「翻訳」という作業をしていません。

もし、「こうしたツールを使ってはいけない。まず基本的な漢字の知識を身につけるべし」となったら、途方もない時間を漢字の勉強に費やさなくてはいけません。しかし時間は有限ですから、「漢字を勉強する時間」と「仕事をしたり、考えたりする時間」がトレードオフになってしまいます。

ならば、苦手とする漢字はＡＩに助けてもらって、自分が得意なこと、たとえばテクノロジーに関連した研究、投資、教育などに集中できたほうがいい。それが自分にとって、もっといえば社会にとってもベストな選択といえるのではないか、と僕は思います。

　しかし、もし日本語ネイティブでない人が、日本の書に魅せられて「書家になりたい」と思い立ったら、たとえ膨大な時間がかかろうとも漢字を勉強しなくてはいけないでしょう。

　もう1つ例を挙げます。日本の多くの学校では、授業で計算機を使ってはいけないようですが、社会に出てから複雑な計算を自分の手で筆算しなくてはいけない局面など、おそらく一般的には皆無です。

　だったら、最初から計算はテクノロジーにやってもらったうえで、別のところを伸ばしたほうがいい。でも、もし数学者を目指すのなら、ホワイトボードが数式でいっぱいになるくらい、自分の手で筆算ができなくてはいけません。

　その他、僕が最近習っている茶道の作法や、インストラクターを務めているスキューバダイビングなどは、自分の体で体得することに意味があるものです。しかし、世の中に存在する学びのすべてが自分で体得する必要があるわけではありません。

　ならば、**学びに関する様々な「作業」にツールを用いるのは非常に有効**だと僕は思います。

「苦手なこと」「時間がかかること」はＡＩに任せる、という選択肢

ＡＩというツールを用いることで、プロフェッショナルのクリエイティビティがより発揮されやすくなるように、**自分でやると時間がかかることや苦手な部分をツールに任せられたら、個々人の特技や才能、個性は、もっと自由に伸ばしていける**でしょう。

ツールを禁じることで、そこに無用な足かせをはめてしまうのはもったいないと考えます。

先ほども述べたように、時間がかかっても自分で体得すべきか、ツールを使う効率性を取るべきかは、個々の目的によって異なります。

したがって、「ジェネレーティブＡＩを使って、すべての学びを効率化すべし」というのも、「そんなものは使わず、すべてをゼロから学ぶべし」というのも極端な見方だと思います。

従来は自分でゼロから学ぶしかなかったところへ、「ジェネレーティブＡＩを使う」という選択肢が加わった。この点が重要で、特に社会人の学び直しには大変革をもたらすだ

ろうというのが僕の見方なのです。自分の脳というメモリーも、学びに使える時間も有限ですから、何に脳と時間を使うのかは各々で決めればいいと思います。

ツールの使用を前提として、いろんな作業の体得に必要な脳と時間を、プロンプトエンジニアリングを学ぶことに費やしたほうが、将来的に、より自分の能力や才能が拡張される可能性もあります。

一方、ニューヨーク市では2023年1月に、学校の端末からChatGPTにアクセスすることはできなくなりました。実質上の禁止措置です。

ChatGPTを使うか否かは、個人の選択であると同時に、学校教育のことを考えれば、社会の選択であるともいえます。

AIを使った学びを学校の授業に導入するのかどうか。AIがあれば漢字も計算も自分で手を動かす必要がないなかで、これからも従来と同じように漢字ドリルや計算ドリルを必須とするのか。

あまりにも個人の能力に共通項がなさすぎると、社会分断の元になるという見方もありますが、ニューロダイバーシティ（脳や神経の多様性による個性を尊重し、それらを社会のなかで活かすことが大切だという考え方）の観点からいえば、個人的には、何を体得し、何をＡＩに任せるのかは十人十色《じゅうにんといろ》でいいと思います。

「平均的であること」や「まずは基礎的な型を覚えること」を重んじる日本社会では、難しい部分もあるかもしれませんが、このことについて、皆さんはどのように考えるでしょうか。

新しいテクノロジーを独学の「相棒」にする

思えば、インターネットや検索エンジンが普及したころにも、これらを勉強に用いることの是非が議論の的になっていました。

たとえば大学のレポート課題で、「ウィキペディア」を使って調べることを学生に許すかどうか。ウェブ上でどこかに掲載されている情報を表現を変えずにそのまま流用する、いわゆる「コピペ」は論外としても、ネット検索を建設的に学びに活かせる方法はあるのでしょうか。

検索エンジンやウィキペディアが提示している「答え」や「キーワード」を自分なりに精査し、考察をまとめるという学びのかたちは大いにありうると思います。

それと同様に、「まずジェネレーティブＡＩに『答え』を出させることから始まる学び」もあっていいのではないでしょうか。

こちらの問いに対して、ジェネレーティブＡＩが、ある答えを示してきた。その答えは本当だろうかとキーワードを検索してみる、文献を調べて裏を取る、その答えを元に仮説を立てて検証する、あるいは、その答えを逆から考えてみる……などを試みた結果、「よくわからない」「引き続き調べたい」でもいいのです。

現代社会は（特に日本社会は、かもしれませんが）、何事も「正解ありき」に偏っていると思います。正解にいち早くたどり着くことだけに自分を最適化することばかりが重んじられ、それを他の人よりも上手にできる人こそが成功する、と信じられているところがある。

しかし世の中の大半の問題には、実は「不変・不動の正解」がありません。

だとしたら、子どもであろうと大人であろうと、**絶対不変の正解がないなかで「自分なりの答え」を探すためにさまよようという経験も、「生きる力」を育むうえでは必要**でしょう。

この広大な社会の情報の森をさまよい、探検しながら、自分なりに考えていく。答えを見つけるためではなく、探索そのものを続けるためのパートナーとしても、「とりあえずの答え」を示すことで「学びのきっかけ」をつくってくれるジェネレーティブＡＩは、価値あるツールだと思います。

POINT

- 各々が伸ばしたい領域を学ぶ時間を増やすため、苦手、あるいは不要と考える領域はＡＩの助けを借りて時間短縮・効率化するという考え方もある。これは、個人の選択であると同時に、社会（学校教育）の選択でもある。
- 「絶対的な解」の存在しないなかで、「自分なりの答え」を探す力は、生きる力を身につけるうえで重要。ジェネレーティブＡＩはそうした独学の素晴らしい「相棒」になる。
- ＡＩに答え（と思しき選択肢）を出させ、その内容を検証する、という主体的・能動的な学びは有効なアプローチの１つである。

調べ方

あらゆる資料にあたる から 資料の「種類」によって調べ方を変える へ

AI時代の調べる技術

調べるテーマ次第で「手段」を使い分ける

ジェネレーティブAIを学びのツールとして使いこなし、最良の相棒としていくには、いくつか心得ておきたいことがあります。

今までは、学びの第一歩というと、おそらく書店や図書館で「読むべき最初の本」を自力で見つけ出すことだったのではないでしょうか。**ジェネレーティブAIを用いて学ぶと**

したら、それよりも先に求められるのは、ジェネレーティブAIの「得意・不得意」を知ることとです。

AIが答えを導き出す源はデータですから、ネット上にあまりデータが蓄積されていない分野について調べることは苦手です。

たとえていえば、ジェネレーティブAIは、図書館を丸ごと暗記しているスーパー記憶力の持ち主です。

ものすごい知識量を有していることはたしかですが、もしこちらが知りたいことが、そもそも図書館に所蔵されていない分野のものだったら、「有力な参照元」が存在しないため、ジェネレーティブAIは正しい情報を提示することができません。

たとえば最近、僕は茶道を習い始めたのですが、茶道のいろいろな決まり事や作法について ChatGPT に聞いてみても、あまり有益な情報を提供してはくれません。

一応、答えらしきものは出してくれるのですが、「あれ？　本当かな？」と疑わしく思うことが多い。「茶道でお湯を汲む道具は何と呼ぶ？」といった初歩的なことならともかく、「裏千家の盆略《ぼんりゃく》点前《てまえ》で拝見ありの場合、まず客は何と言う？」など少し専門的なことになると、明らかなデタラメを提案してきます。おそらく、ネット空間には茶道についての情報の蓄積が少ないため、ＡＩが提示する情報の精度も低い、ということでしょう。

しかし、**すでにネット上にデータが豊富に蓄積されているもの、たとえばプログラミング言語について聞くと、非常に有能**なのです。

同じ現象は、人間でも起きます。少ない情報を元に知識を体系づけようとすると、どうしても欠損部分が多くなり、そのために偏りや誤りが生じがちです。

開発会社のオープンＡＩでは常に新しいデータの取り込みやChatGPTの修正作業が行われているので、前は誤った答えだったものが、時間を置いて同じオーダーを投げかけると、正しい答えが出てくるようになることはあります。ただ、それは物事の構造を理解させたうえでの修正というわけではなく、単に「正しい答え」を暗記させているだけです。

ＡＩは「正解を教えてくれる先生」ではない

ジェネレーティブＡＩの得意・不得意や限界を理解すると、ジェネレーティブＡＩを活用した学びのコツも見えてきます。

ジェネレーティブＡＩは、いつ、どんな間違った情報を示すかわかりません。しかし、いつも確信に満ちた口調で説明してくるので、ついつい僕たちは、それらすべてを信じたくなります。そこがものすごく問題なのです。これは、信じてしまった人だけの問題ではありません。

たとえば誰かが、ジェネレーティブAIが捏造した「事実」を鵜呑みにして作成した情報を、そのままネット上で公開したとしましょう。

すると、そのデータをまたAIが学習して、別の人に同じようなことを尋ねられたときに、虚偽を事実として提示してしまう。いわば**AIがアウトプットした「ゴミ」を、またAIが食べることで、次第に虚偽があたかも事実として世間に定着していってしまう、ということが起こり得ます。**

これはWeb2の時代に、パーソナライゼーション（個々人に合わせて情報が最適化されること）の浸透により、自分の知りたい情報だけが身の回りに溢れ（フィルターバブル）、それを信じてしまうことで「いつの間にか虚偽が事実になっていく」という問題が生じるようになったのと似ています。

たとえばウィキペディアに記載された虚偽が、それを鵜呑みにした人たちが発信したり語ったりすることで、世の中に「事実」として広まってしまう。それと似たようなことが

ＡＩにも起こるのです。

しかもＡＩのアウトプット量にはリミットがないため、どんどん嘘がアウトプットされ、その嘘をまたＡＩが学習し……という負のスパイラルを永遠に繰り返しかねません。

だからこそ、**いかにＡＩが出したデータセットをＡＩのトレーニングセットから外し、それ以上嘘を学習しないよう歯止めをかけるかというのも、ＡＩ技術が抱える重要な課題**です。

ジェネレーティブＡＩが、いかに驚くべき間違いをおかしうるか、皆さんへの注意喚起のために、ちょっとおかしな例を挙げておきましょう。

次ページでご紹介する事例はChatGPT-3.5ですが、ChatGPT-4でも、旧版より性能は格段に向上したとはいえ、「巧妙な嘘が混在しうる」という根本的な課題は完全には拭いきれてはいません。

ユーザー

2台の車が2時間後に到着するとします。4台の車だと、何時間後に到着しますか？

ChatGPT-3.5

2台の車が2時間後に到着するということは、1台あたりの時間あたりに進む距離は同じと仮定できます。これを1台あたりの速度として表すことができます。4台の車が同じ距離を進む場合、4台あたりの速度は2倍になります。したがって、4台の車が到着するまでにかかる時間は、2時間の1／2、つまり1時間です。よって、4台の車が到着するまでの時間は、2時間－1時間＝1時間となります。

ユーザー

A地点から2台の車が出発し、2時間後にB地点に到着しました。ではA地点から4台の車が出発したら、B地点には何時間後に到着しますか？

ChatGPT-3.5

2台の車が2時間後にB地点に到着するということは、2台の車の速度をｖとすると、A地点とB地点の距離ｄは2ｖということになります。

4台の車の場合、1台あたりの速度は2倍になりますが、4台すべてが同じ速度で進んでいると仮定すると、4台の速度は2v×4=8vになります。従って、4台の車がA地点からB地点に到着するまでにかかる時間ｔは、

d = 8v × t

d = 2v × 2時間　より、

8v × t = 2v × 2時間

t = 2時間 / 4 = 0.5時間 = 30分

となります。つまり、4台の車が出発したら、30分後にはB地点に到着することになります。

さすがに、この答えを信用する人はいないと思いますが、注目して頂きたいのは、ChatGPT-3.5の説明口調です。**非常に断定的で、「間違っている」可能性をまったく感じさせません。**

もし同じことが、自分にとって未知の領域で起こったら、と想像してみてください。知らないうちに、このレベルのとんでもなく間違った情報を、正しいものと信じてしまう危険があります。現在、リリースされているChatGPT-4では、さすがにここまでの間違いは起こりにくくなっていますが、「虚偽をもっともらしく説明する」という根本的な問題が解決されたわけではありません。

おわかり頂けたでしょうか。**自分自身が「正誤のチェック役」として機能できない未知の分野について学ぶときに、ジェネレーティブＡＩを「（絶対的な正解を教えてくれる）先生」と思ってはいけません。**

つまり、「その分野に詳しい先生に教わった回答を、そのまま覚える」というかたちの学びは、ジェネレーティブＡＩには向いていないということです。

したがって、いくらジェネレーティブＡＩが「答えらしきもの」を提示しても、「実は間違えているかもしれない」という可能性を常に念頭に置くこと。この心得が非常に重要です。

ジェネレーティブＡＩは、取り込んだデータや情報だけを見て「答え」を出そうとする、ゆえにときどき適当に捏造してしまう、しかも、その説明がすごく饒舌《じょうぜつ》でうまいから性質《たち》が悪い……という知ったかぶりの友人みたいなものです。**「学びのとっかかり」「学びを発展させるきっかけ」をつくってくれるものとしては有用ですが、「正解を教えてくれるもの」ではない。あくまでも学びの糸口や、学びのパートナー**として捉えておくといいでしょう。

ChatGPTを学びのツールとすることで、恥をかくこともあると思います。たとえば、ついChatGPTを信じて間違った内容をクラスで発表してしまい、もし自分でいちから調べていたら起こらないような間違え方をしていたら、「さてはChatGPTで調べたでしょう？」と周囲から指摘されてしまう。有害な影響がなければ、これも貴重な学びの１つとして捉えることができます。

次の学びのステップは、ジェネレーティブＡＩが提示した答えを自分なりに検証してみることです。別のジェネレーティブＡＩに同じ質問をしてみる、検索エンジンでキーワードを調べる、本や文献にあたってみる、など。

結果的に、「ＡＩが答えたとおりだった」ということもあれば、「ＡＩは、この部分とこの部分で間違っていた」と判明することもあるでしょう。また、**ＡＩが出した答えを検証する過程で、様々な周辺情報や派生的な知識にも自然と触れることになるはずです。この過程も含めて、うまく活用すれば得るものが非常に多い効果的な勉強法**ともいえるのです。

POINT

- **ジェネレーティブＡＩが示す情報の精度は、ネット上の、そのテーマに関する情報の蓄積の多寡によって決まる。情報量が多いテーマを調べることには向いているが、そうでない場合は別の手段を選択することも考えたほうがいい。**
- **ジェネレーティブＡＩの性質上、嘘がネット上に流布しており、その嘘情報をＡＩが取り込む、という「嘘情報の連鎖」が起こるリスクが常にある。**
- **ジェネレーティブＡＩを「いつも正しい答えを教えてくれる先生」と認識してはいけない。ユーザー側は、提供される情報をあくまで「仮の答え」として捉え、厳しくチェックする姿勢を貫かなければならない。**

能動性

今ある課題に受け身で取り組む から
自分の手で新しい課題を発見する へ

「主体性」を育む学び方

自ら課題を発見する力

今後、どれほどＡＩが進化したとしても、すべての領域に関して「人間を超える」ことはありません。なぜなら、どこまでいっても「人間にしかできないこと」「人間にしかないもの」は必ず残るに違いないからです。

ＡＩには人格もなければ意思もありません。つまり人格のある一個人として、意思を持って行動する「主体性」もまた、「人間にしかないもの」といえます。

広い意味でのジェネレーティブAIは、これまで地道に改良が重ねられてきました。そこへ、ユーザーインターフェースとしてきわめて優れているChatGPTがリリースされ、驚きをもって広く一般ユーザーに受け入れられているというのが、今、まさに起こっていることです。

ここまでAIが一般ユーザーにまで広まる前は、主体性が発揮される仕事も、主体性を必要としない単純作業も、人間が担ってきました。

しかし今後、主体性を必要としない機械的な作業は、どんどんAIの役割になっていきます。

いいかえれば、**これからの時代、僕たちはいよいよ真の意味で「人間にしかできないこと」「人間にしかないもの」によって評価されるようになっていく。**人間にしかないクリエイティビティと並んで、「主体的に考え、行動できること」も、重要な評価基準になっていくでしょう。

指示されたことをきっちりこなすのは、AIのほうが得意です。だったら、それはAIに任せてしまえばいい。一方、人間は人間にしかないもの――自分にしか考えつかないことを発想し、リスクを取って今まで誰も踏み込んでこなかった道を進んでいける力を培っていくことが、これからの世の中を生き抜く条件です。

つまり、学びにおいても、よりいっそう主体性が重要になってきます。

一方的に授けられる知識を、受け身の姿勢で飲み込んでいればよかった時代は、もう過去のものです。

ジェネレーティブAIの存在感が増すほどに、受け身の人、指示待ちの人でも仕事がある社会は、終わりを迎える。

そしてそれと引き換えに、主体的に学べる人の価値が高まっていくことは間違いありません。なぜなら、主体的に考え行動できる能力は、主体的に学ぶことで培われるからです。

125ページで、「ジェネレーティブAIを先生と思ってはいけない」と述べました。学びたいことを、まずジェネレーティブAIに投げかけ、得られた情報を自分なりに検証してみるというのは、まさに主体的な学びの一形態です。AI時代に生き残る人の学び方とは、AIを使って主体的に学ぶこと、そういってもいいかもしれません。

「日本人には『自分』がない」は、歴史的に間違い？

このように主体性の重要性を指摘すると、「それは日本人が最も苦手とするところ」という反応が返ってくることが多いです。皆さんのなかにも、同じように思った人がいらっしゃるかもしれません。

たしかに現代の日本人は主体性に乏しいように見える部分もありますが、だからといって、太古の昔からずっと主体性に乏しい人々なのかといえば、どうやら違うらしいのです。

日本人が主体性を失ってしまったとしたら、それは、「天下統一」が成し遂げられ、中央集権的な国家体制が確立された江戸時代以降のことではないかと思います。それ以前は、一国一城の主《あるじ》が領地拡大をめぐってしのぎを削る群雄割拠《ぐんゆうかっきょ》の時代でした。

戦国時代の武将たちは自分の命、家族や家臣の運命、領民の運命の行く末を背負って、そのつどリスクを取って戦ってきた。それこそ**個々の自己責任、主体性がある程度あった時代が、日本史上たしかに存在していた**——というのは歴史社会学者の池上英子さんの言葉です。

僕は、これを聞いて非常に納得するとともに希望も感じました。

今の日本人の多くは、たしかに主体的にものを考え、行動することを苦手としているのかもしれません。でも、それを日本人の生来の特質と考えるのはちょっと違うと思います。自分の人生に対してしっかりと責任を持って主体的に取り組んでいく力は、本当は誰にでも備わっているはずなのです。

皆さんにも、この機会に主体的な学びを始めてほしいと思います。

身銭を切るか否かで、得られる情報の質に差がつく？

「インターネット上の情報はタダで得るのが当たり前」という認識が、すっかり根づいてしまいました。

でも、「たいていのことは無料のネット検索で調べれば十分」というのは、実は錯覚です。「ニューヨーク・タイムズ」しかり、「日経電子版」しかり、インターネット時代においても、しっかりとした調査や取材の裏づけのある情報は、基本的に有料なものが多いのです。

おそらく、ジェネレーティブＡＩでも同様になっていくのではないかと思われます。旧バージョンのChatGPT-3.5は無料ですが、より高性能な最新版のChatGPT-4は基本的には有料です。そこで**身銭を切るか否かで、入手できる知識・情報の質に差が出てくるでしょう。**

有料化と聞き、がっかりした人もいるでしょう。僕自身も、基本的にはデジタル空間における公共性を是とするほうなので、ソフトウェアはやはり、オープンソースであったほうがいいというスタンスです。

また、メディアの情報についても、有益な情報すべてが、ペイウォールの内側で有料になってしまっては、はたして、社会はうまく機能するのか。これもやはりバランスが大切だと思います。

これだけ無料の検索エンジンが浸透しているなか、ジェネレーティブＡＩを「検索エンジンに代わるもの」と考えたら、あまり積極的にお金を払う気になれない人が多くても仕方ありません。

実際、「検索エンジンの進化系」という位置づけのマイクロソフトBingは、当面の間は無料で提供されるようです。もしすぐに有料化したら、ユーザーが集まらないでしょう（無料にしてもなお、「チャット」のインターフェースが、従来の検索エンジンに取って代わるほど普及するかどうかは、正直なところ未知数ですが）。

一方で、有料のジェネレーティブAIが、開発会社が考えているように「クラウドサービスの延長」となる可能性もあります。皆さんもこのあたりでいったん、ウェブという一種の「インフラ」に対するお金の考え方を見直してみるのもいいのではないかと思います。

当たり前ですが、ジェネレーティブAIに課金するかどうかは人それぞれの選択次第です。

自分の仕事や勉強に、どれだけジェネレーティブAIが役立つか、どのジェネレーティブAIにお金を払うのがベストかなどは各々で異なるので、現在、定額を支払って使っているサービスの棚卸しも含めて、検討する必要があるでしょう。

2023年5月8日現在、ChatGPT Plus（応答スピードが速く、ログイン混雑時でも使用できる有料プラン）は月に20ドル、Notion AI はワークスペースのメンバー1人あたり月10ドル、Midjourney は月10ドル、30ドル、60ドルのプランがあります。

一方で、**こうした金額を気軽に払える人と払えない人がいます。そのために、より富めるものに知識面、情報面、ツール面の優位性があるというある種の「格差」が生まれるのは、社会的に望ましくありません。**

ただ、大量のデータをＡＩにインプットさせなくてはいけないＬＬＭ（大規模言語モデル）には、莫大なコストがかかることも事実です。そのあたりの事情もよくわかっているので、今のところは有料化も致し方なしなのかな……というのが僕の考えです。

さらに中長期的な話をすると、一般ユーザーにとって無料のジェネレーティブＡＩが登場する可能性はゼロではありません。「ハギングフェイス」や「スタビリティＡＩ」などに、その可能性があると僕は見ています。

また、ＬＬＭより、はるかに低コストでＡＩを教育できるインテリジェンスモデルも、今後、確実に登場してくるでしょう。前にも述べたように、僕が現在、ＭＩＴと組んで進めている不確実性コンピューティングもその１つです。

開発コストが低ければ、安価化、無料化の道筋も開かれます。そういうＡＩが実用化され、一般ユーザーにまで浸透したときに、ようやく、経済格差による知識・情報・ツール格差が解消する端緒が開かれるのかもしれません。

POINT

●「クリエイティビティ」と並んで、「自ら主体的に考え、行動できること」も、AI時代のビジネスパーソンにとって、活躍するか否かを決める重要な評価基準。

●歴史を振り返れば日本人の国民性が「主体性」に満ちた時代も存在した。

●時代の気運として、「有料化」の流れが進んでいる。身銭を切るか否かで得られる情報の「質」が決まる部分がある。「これは自分にとって投資価値があるか」を、つど考える習慣が大切。

スキルアップ

平均点を取れるオールラウンダーから
得意分野に秀でたプロフェッショナルへ

「専門性」を伸ばす教育へシフトせよ

本物のプロフェッショナルとは

今後、多くの仕事がAIと人間の分業制になっていくことを考えると、人間サイドの役割をきちんと果たせるような人材を育てる必要があります。

ジェネレーティブAIは、あくまでも「下調べやたたき台づくりをしてくれる有能なアシスタント」「アイデアを育てる際の心強いブレスト相手」であり、AIだけで仕事が完結することは考えられません。最終的には、その仕事のプロである人間の頭脳や手が加わって、初めて世に出せる成果物となります。

「人間の役割をまっとうできる人材を育てる」とは、いいかえれば「プロフェッショナリズムを育む学習」ということです。

では、プロフェッショナリズムを構成するものとは何か。僕は次の3つがあると思います。

1つめは、AIが提示した**答えの正誤をきちんと「チェック」できること。**今後、チェック機能の優れたAIも出てくるとは思いますが、特に法律や医学などの専門的な分野では、やはりプロフェッショナルな人間の目によるチェックが欠かせません。

2つめは、**自分が従事する分野において「習熟」していること。**膨大なデータの参照力にかけては、人間よりAIのほうがはるかに勝ります。しかし、ある仕事に従事するなかで得た豊かな知識・経験を有機的に結びつけ、習熟することは今のところ、人間にしかできません。

そして3つめは、**「変わったこと」を発想できること。**決して現状や既存物に甘んじることなく、「このようにしたら、もっとおもしろくなるんじゃないか」という、それまでにないひとひねりのアイデアを加えるというのも、人格や意思を持たないＡＩにはきわめて難しいことです。

この３つの要素を兼ね備えている人は、ＡＩと仕事領域が被ることなく、人間の役割をきちんと果たしていけるでしょう。実際、どんな分野においても、「本物のプロフェッショナル」とはこういうものではないでしょうか。

そして、**こうしたプロフェッショナルを本気で育てていくためには、日本の学校教育を抜本的に見直す必要がある**のではないでしょうか。ここで、いくつか僕のアイデアをシェアしておきたいと思います。

学校も、変わらなければならない

学校は、もはや「一方的に知識を授ける場」であってはいけないと思います。

前に「主体的な学び」の重要性を指摘しましたが、それはプロフェッショナルの素養を育てることに直結しています。子どもの教育という点でいえば、学校が主体的な学びを促進する場に変化しなくてはいけません。

その方策の1つとして、ジェネレーティブAIを授業に取り入れるのは有効ではないかと思います。このようにいうと、早くも教育現場の反発の声が聞こえてきそうです。実際、すでにアメリカでは、「子どもの思考力を奪う」としてジェネレーティブAIを排斥する動きが出てきています。

しかし、どのようなツールも、使い方次第で子どもの能力を伸ばす最強アイテムになりうることを、是非知ってほしいと思います。

「○○について調べて書きなさい」方式の宿題は、遠からぬうちに、意味をなさなくなっていくでしょう。ひそかにジェネレーティブAIに「○○について、小学校4年生が書くような文章でまとめて」という指示を出せば、それらしいものが完成してしまうからです。

ならば、最初からジェネレーティブAIありきの授業にしてしまったほうが、はるかに子どもの能力向上に役立つはずです。たとえば、あることについてジェネレーティブAIを使って調べ、AIが生成した答えを自分なりに別のソースをあたるなどして精査し、結果をレポートにまとめる、などです。

ジェネレーティブAIは、様々な「面倒な作業」「大変な作業」から人間を解放してくれるツールです。それを大人は使っていいけれども、子どもは使ってはいけないというのは、非常にアンフェアではないでしょうか。

平均的な人間ではなく、自由に個性を発揮していける人間を育てるためにも、「便利なツールで子どもを甘やかしてはいけない」「苦労して学ぶという経験こそが子どもには重要」といった無駄なスパルタ思考は、もうやめたほうがいいと思うのです。

学校教育でも、いろんな「調べる」「つくる」のプロセスにジェネレーティブAIを使ってよしとすることで、長ったらしい計算をするとか、足繁《しげ》く図書館に通うなどといった大変なプロセスから子どもたちを解放できます。

そのぶん、子どもたちのクリエイティビティは、もっと複雑な思考や試行に振り向けられるようになります。**AIをうまく教育に取り入れることは、学びを主体的で楽しいものに変化させ、それがゆくゆくは「変わったことを発想できる」というプロフェッショナリズムにつながる**わけです。

「型」から入る教育は意味がない

海外における試行例ですが、こんな報告もあります。

「レポートのドラフトをAIに書かせることで、学生たちは、かつてそこにかけていた時間を、より多くのデータを集成させること、より複雑な考察をすることなどに割けるようになり、結果として、レポートの質は向上するだろう。

かつて授業に統計のソフトウェアを導入したところ、学生たちの統計のワークの量・質ともに劇的に向上した——面倒なデータ計算を統計ソフトがやってくれるおかげで、学生たちは、より発展的な内容に時間を割けるようになったからだ。それと同様のことが、おそらくAIの導入でも起こる」

「結局のところ、AIのおかげで私は、より高い成果を学生に期待できるようになった。たとえば、以前ならば6週間で1つのプロダクトのデモを完成させられるのは稀だったが、今なら、そういう指示を出せる。コード生成のChatGPTとイメージ生成のStable Diffusionによる劇的な後押しがあるおかげだ。

その他の課題も、ＡＩのサポートのおかげで以前よりも多くのことができるようになっている学生に合わせて、より高度なものになっている。そしてこれは、基礎講義で以前よりも高度な内容を扱えるようになったことを意味する」〈イーサン・モリック准教授〈ペンシルベニア大学ウォートン校〉〉

これは、ジェネレーティブＡＩに「作業」をさせることで、人間の思考力や創造力がより発揮されるようになり、成果物の質が上がることを示す例ではないでしょうか。

ジェネレーティブＡＩは、いうなれば「ものすごく物知りな優等生」です。何を聞いても、いかにも頭でっかちの優等生が答えそうな「模範解答」ばかり出してくる。そこに「自分」という人間由来の「ひねり」を加えることは、人間にしかできません。

その体験を学校教育のなかで積み重ねることは、必ずや、仕事でＡＩを使うことが当たり前になっていく社会で活きるでしょう。まずＡＩにテーマを投げかけ、たたき台となるアイデアを出させてから、自分なりに「ひねり」を加えて１つのものをつくり上げる。授業に、こうした「ＡＩとの共同制作」を取り入れるのも一案です。

まず「定型」を教えるのが学校の役割という考え方は、その定型を担ってくれるＡＩが普及していく社会において、ほとんど意味を成さなくなると思います。子どものころから

ＡＩを使いこなすことで、定型外の「変わったこと」を自然と発想できる力が育つのです。

もちろん、そのなかで「ＡＩが間違える」体験もしますから、ＡＩが生成したものには「チェック」が必要という発想も、おのずと身につきます。ＡＩの答えを精査するという授業も、まさにこの発想を身につけさせるために必要でしょう。

また、大変な作業をＡＩに代行させるという方法論を体得することで、自分が本当にやりたいことや得意なことを有機的に伸ばしていく、「習熟」の土壌も培われるはずです。**ＡＩというツールをうまく取り入れることで、このように、ゆくゆくは社会で発揮されていくプロフェッショナリズムが育まれる機会を、できるだけ多く創出する。**それこそ、現代の学校教育の役割だと僕は思います。

これからの親の役割

ジェネレーティブＡＩというツールが社会に浸透することで、学校教育のあるべき姿が変われば、親の役割も変わっていくでしょう。

ＡＩは、いずれ個々の人間にパーソナライズされていくと思います。ＡＩを使いこなすうちに「自分」という個人のデータがＡＩに蓄積されることで、「万人受けする答え」よりも「自分に最適化された答え」が出てくるようになるでしょう。きわめて忠実なコンシェルジュが生まれるというイメージです。

となると、それぞれの個性に合った道へと子どもを導くこと自体は、もしかしたら、ＡＩのほうが上手にできるようになっていくかもしれません。

親とは常に、我が子の「好き」や「得意」は何だろうかと思い悩むものですが、それは、日ごろ子どもをよく観察したり、会話を欠かさなかったりといった言語的・非言語的コミュニケーションのなかで推し量るしかありません。

でも、未来のＡＩは、人間の意思を先回りして提案を示すことができるようになっていきます。言葉や態度には明確に表れていない、けれども確実に存在する「ぼんやりとした意思」を汲み取ることできる。そんなＡＩが浸透したら、ひょっとしたら親よりも早く子どもの「好き」や「得意」を見抜き、その方向へと導くことができるかもしれないのです。

このように、パーソナライズされたＡＩは、「主人」である自分の望むものがある方向へと、どんどん導いてくれます。

しかし、ＡＩには倫理観がありません。社会通念や倫理の面で、今後ＡＩをどのようにチューニングしていくかというのは、政治的要素も絡んでくる重大なテーマです。ＡＩは過去、人類が形成してきたバイアスや、フィクションのなかの差別表現も「データ」として並列で学習するため、平気で人種差別的、性差別的な答えを生成する場合もあります。

話を戻しましょう。ともあれ、もともとのつくりとしては、ＡＩは主人さえ望めば、いっさいの価値判断なく、どのような道筋も開いてしまう。倫理観や判断力が未熟な子どもに、それが起こるとしたら少し危ういものがあります。

そこで親の出番です。将来的には、子どもが使っているＡＩに親の倫理観を学習させることも可能になると思いますが、**何よりも、ふんだんに愛情を注ぐ。子どもが人の倫理にもとる方向へと進まないよう見守り、ときには軌道修正を施す。これらが可能であるよう、子どもとのコミュニケーションを欠かさずに、信頼関係を醸成する。**

いずれも古くから変わらぬ親の役割ですが、子どもがＡＩという忠実なコンシェルジュを得ようとしている現代においては、いっそう重要性が増していくでしょう。

POINT

●教育界は、独自の役割をまっとうできる人材＝真のプロフェッショナルを育てる方向へ舵を切らねばならない。真のプロフェッショナルの条件は「正誤のチェックができること」「専門分野に習熟していること」「変わったことを発想できること」。

●学校は、一方的に画一的な知識や「型」を授ける場から、自ら学ぶ姿勢を伸ばす場へと変わるべき。

●親は我が子に愛情を注ぎ、ときには軌道修正を施すことの重要性がより高まる。

第3章

イノベーション

創造は「ゼロからイチ」ではなくなる

自力でひねり出す から 草案に自分流のアレンジを加える へ

アレンジ力こそが発想力になる

最終チェックのプロの「目」を磨く

ジェネレーティブAIは多方面へと進化していますが、最も得意なのは機械的な作業です。データを集計する、情報を集めて表にまとめる、日本語→英語、くだけた文章→正式な文章などの置き換えをする、長い文章を要約する、あるフォーマットに従って文書を作成する……。こうした煩雑な作業が仕事にはつきものですが、ジェネレーティブAIをツールとして使いこなせば、これらのほぼすべてから解放されます。

そして重要なのは、まずどこから手をつけるかを考え、ひとつひとつこなしていくという作業から解放されるぶん、自分の能力と時間を本当にやるべき仕事に使えるという点です。**ＡＩを優秀な作業アシスタントとすることは、仕事のパフォーマンス向上に直結している。ひいては自由な発想力や創造力の広がりにより、イノベーションが起こりやすい土壌が培われる**といってもいいでしょう。

もちろん、作業を完全にＡＩ任せにするわけにはいきません。何度も言いますが、ＡＩは必ず間違えます。たとえば、ある情報をリスト化させたとして、一見、すべてきれいに整理されていて問題ないようでも、よくよく見ると微妙なところで間違った情報が入っている、ということは珍しくありません。したがって、**ＡＩが提示したものを自分の目で「チェックする」というプロセスは絶対に必要です。それでも自分でゼロから手を動かして作業をこなすよりは、１００倍楽と感じるでしょう。**

ここで試しに、仕事においてよく発生する作業を、いくつかジェネレーティブＡＩにやってみてもらいました。先に述べたように「誤り」も多分に含んではいますが、性能の高さに、皆さんはきっと驚くでしょう。プロンプトの書き方も併せて参考にしてください。

Notion AIを使って一覧表を作成する

東京都内にあるすべての国公立大学の名前と住所、電話番号をまとめた一覧表を作成してください。

ユーザー

Notion AIが生成した一覧表

Notion AI

東京の国公立大学一覧

大学名	住所	電話番号
東京大学	東京都文京区本郷7-3-1	03-3812-2111
首都大学東京	東京都八王子市下恩方2-1-1	042-677-1111
東京工業大学	東京都目黒区大岡山2-12-1	03-5734-2111
東京農工大学	東京都世田谷区桜丘1-1-1	042-367-1111
東京医科歯科大学	東京都文京区湯島1-5-45	03-5803-4111
東京外国語大学	東京都調布市西町1-21-1	042-330-5000
東京芸術大学	東京都台東区上野公園12-8	03-3824-9111
東京都市大学	東京都豊島区西池袋3-3-1	03-3942-6111
東京海洋大学	東京都品川区西大井4-5-7	03-5463-0111
東京学芸大学	東京都国立市富士見台1-4-1	044-934-7111

※一部、私立大学が紛れ込んでいます。こうした事実に基づいたリストづくりに、今のところジェネレーティブ AI はあまり向いていません。

Notion AIを使って会議のアジェンダを作成する

ジェネレーティブＡＩが社会に広まってきている今、マーケティング戦略の立案方法も従来のやり方から新しいやり方に転換が必要です。次回の会議では、「ジェネレーティブＡＩを活用した、新しいマーケティング戦略の立案方法」について話し合います。この会議のアジェンダを作成してください。

ユーザー

Notion AI

次回会議のアジェンダ

1. オープニング
   - **出席確認**
   - **会議の目的とゴールの確認**
2. ジェネレーティブＡＩを活用したマーケティング戦略
   - **ジェネレーティブＡＩの概要の確認**
   - **ジェネレーティブＡＩを活用したマーケティング戦略の可能性についてのディスカッション**
3. ジェネレーティブＡＩを活用したマーケティング戦略の成功事例の紹介
   - **成功事例の共有**
   - **成功事例におけるジェネレーティブＡＩの活用方法についてのディスカッション**
4. 新しいマーケティング戦略の立案方法の共有
   - **ジェネレーティブＡＩを活用した新しいマーケティング戦略の立案方法のアイデア出し**
   - **アイデアの共有とフィードバック**
5. まとめと次回のアクションプランの確認
   - **今後の展開についてのディスカッション**
   - **次回のアクションプランの確認**
6. クロージング
   - **次回会議の日時と場所の確認**
   - **会議の終了**

ChatGPTを使って「プレスリリース」を作成する

新しいウェブサイト「インターネットの歴史」についてのプレスリリース案をお願いします。

ユーザー

ChatGPT-4

株式会社 XXX（以下、XXX 社といいます）は、本日 2018 年 6 月 1 日より､新しいウェブサイト「インターネットの歴史」を公開いたしました。

本サイトは、インターネットの誕生から現在までの変遷を古今東西のインターネット関連ニュースを交えながら解説するウェブサイトです。特に、インターネット技術の進歩とともに複雑化しているプロトコルなどを、わかりやすく解説します。また、新たなインターネット技術の動向を掲載しており、テクノロジー分野で活躍される方のための情報サイトとしてご利用頂けます。

今回、XXX 社は「インターネットの歴史」というサイトを公開することにより、知識の向上、インターネットを利用してのビジネスや新たな技術の活用を目的とした情報収集など、インターネット利用者の皆様を支援することを目指します。

今後とも、XXX 社はインターネット技術の発展に伴い、新たなサービスを公開してまいりますので、ご期待ください。

▼

このプレスリリースを、小学生にもわかる言葉でつくってください。

ユーザー

Notion AI

株式会社XXX（以下、XXX社といいます）は、本日2018年6月1日に、新しいウェブサイト「インターネットの歴史」を公開しました。

本サイトでは、インターネットがどんなものかを、古今東西のニュースを使って簡単に説明しています。特に、インターネットが利用する技術を、わかりやすく解説しているので、小学生でも理解できます。新しいインターネットの技術についても情報を掲載しているので、テクノロジーを勉強している人にとっても役立つサイトです。

XXX社は、「インターネットの歴史」を公開したことで、インターネットを使って学び、ビジネスをすることをサポートします。今後も、インターネット技術が発展するにつれて、新しいサービスを公開していきますので、ご期待ください。

ChatGPTを使って「ビジネスメールを英訳」する

SB クリエイティブ
編集部

次の文章をビジネスメールの文体で英語にしてください。

伊藤様

初めてご連絡をさせて頂きます。
ソフトバンクグループの出版社、ＳＢクリエイティブ、編集部です。

私事で恐縮ですが、
かねてより伊藤様のポッドキャストを拝聴したり、ご著書を拝読させて頂いたりしておりまして、いつの日か私からも是非、伊藤様に書籍企画のご相談を申し上げたいと念じておりました。
今回是非伊藤様にご執筆頂きたいテーマがあり、ご連絡させて頂きました。

このたび、ご相談させて頂きたいテーマは

『新しいＡＩで、人間の仕事はどう変わるのか』

です。

ChatGPT、マイクロソフト「Bing」のチャットＡＩといった「テキスト」を生成するＡＩのほか、Midjourney、Stable Diffusion などといった「画像」を生成するＡＩも次々と登場しています。

こうしたジェネレーティブＡＩは、ビジネスパーソンによく使われているツールにも搭載されてきています。

たとえば、先日リリースされた「Notion AI」では、ＡＩによって文書の要約、メモの作成や整理、タスク管理、データの自動分類、スケジュールの自動調整などが可能になりました。こうしたツールを実際に使ってみて実感するのは、「テクノロジーの力を借りて、新しい付加価値を生み出せる、『真のプロフェッショナル』がよりいっそう活躍の場を広げていくのではないか」ということです。
最新ＡＩを搭載したいろいろなツールを使うなかで、多くのビジネスパーソンがこのことを強く実感していくのではないかと感じております。

そのような中、是非とも伊藤様に、ジェネレーティブＡＩなどの「最新型ＡＩ」が、仕事や働き方にどのような影響を与えていくかを、論じて頂きたく考えております。

なお、本企画は是非とも「新書」でご提案させて頂きたいと考えております。
弊社の新書レーベル「SB 新書」は、出版不況が叫ばれて久しい近年でも、毎年、10 万部以上のベストセラーが生まれている、今一番勢いのある新書レーベルの１つです。
媒体資料も併せて添付させて頂きますので、企画書とともにご高覧下さいませ。

よい本にさせて頂くのはもちろんのこと、刊行の暁には、一人でも多くの読者に手に取って頂けるよう、弊社一同、精一杯拡販に努めて参りたく存じます。

SB クリエイティブ
編集部

▼

企画につきましては、以上でございます。
ご多忙のなか、大変恐れ入りますが、
ご検討を賜りますよう、どうか宜しくお願い申し上げます。

SB クリエイティブ株式会社
編集部

SB クリエイティブ
編集部

ChatGPT-4

Dear Mr. Ito,

This is the Editorial Department from SB Creative, a publishing company of the SoftBank Group.

I apologize for taking up your time, but I have been listening to your podcast and reading your books for some time now, and I have been wishing to consult with you about a book project. I am contacting you about a theme we would like for you to write about.

The theme is "How will new AI change human work?".

ChatGPT, Microsoft's "Bing" chat AI, and other generative AI that generate "texts" such as Midjourney and Stable Diffusion, and those that generate "images" are emerging one after another. These generative AI are being incorporated into tools that are frequently used by business people. For example, the recently released "Notion AI" enables summarizing documents, creating and organizing notes, managing tasks, automatically classifying data, and automatically adjusting schedules with AI.

▼

ChatGPT-4

Using these tools, many business people are strongly realizing that "we can create new added value by taking advantage of technology to become a true professional".

In this context, I feel that many business people will experience the effects of the latest AI on their work and ways of working.

I would like to ask you to discuss how the latest AI such as generative AI will affect work and ways of working.

In addition, we would like to propose this project as a "new book". Our new book label "SB Shinsho" is one of the new book labels with the most momentum these days, even in the prolonged recession, producing more than 100,000 bestsellers each year. Please see the attached media material together with the project proposal.

We would like to do our best to promote it so that many readers can pick up the book at the time of publication.

This concludes my proposal.
I apologize for my intrusion, but I would appreciate it if you could consider it.

Sincerely,

SB Creative Co., Ltd.
Editorial Department

▼

さらに丁寧な英語にしてください。

SB クリエイティブ
編集部

ChatGPT-4

Dear Mr. Ito,

It is a pleasure to contact you for the first time. This is the Editorial Department from SB Creative, a publishing company of the SoftBank Group.

Firstly, I would like to extend my sincerest apologies for the intrusion. I have been a great admirer of your podcast and your books for some time, and I have been hoping to consult with you about a book project. Therefore, I am reaching out to you today regarding a theme we would like for you to write about.

The theme is "How will new AI change human work?".

Generative AI such as ChatGPT, Microsoft's "Bing" chat AI, and those that generate "texts" such as Midjourney and Stable Diffusion, and those that generate "images" are appearing one after another. These generative AI are being adopted into tools that are often used by business people. For example, the newly released "Notion AI" allows summarizing documents, creating and organizing notes, managing tasks, automatically classifying data, and automatically adjusting schedules with AI. By

▼

ChatGPT-4

utilizing such tools, many business people have the realization that "we can create new added value by taking advantage of technology to become a true professional".

Therefore, we strongly believe that many business people will gain the understanding that the latest AI such as generative AI will influence work and ways of working.

We would like to propose this project as a "new book". Our new book label "SB Shinsho" is one of the most vibrant new book labels these days, despite the prolonged recession, with more than 100,000 bestsellers produced each year. Please take a look at the attached media material together with the project proposal.

We are dedicated to doing our utmost to promote this book so that many readers can acquire it upon its publication.

This concludes my proposal.
I understand that your time is valuable, and again, I apologize for the intrusion. I would be immensely grateful if you would kindly take this into consideration.

Sincerely,

SB Creative Co., Ltd.
Editorial Department

ChatGPTを使って「企画書」を作成する

先のメールに掲載されていた「新しいＡＩで、人間の仕事はどう変わるのか」という書籍企画の「企画書」を作成してください。

SB クリエイティブ
編集部

ChatGPT-4

題名：新しいＡＩで、人間の仕事はどう変わるのか

概要：本書は、最新型の人工知能（ＡＩ）がビジネスや働き方に与える影響について論じた書籍です。特に、ジェネレーティブＡＩという画像やテキストを生成するＡＩに注目し、ビジネスパーソンがより効率的に働くために利用することができる可能性を探ります。また、ＡＩの進歩が進むなかで、人間が行ってきた仕事が自動化され、新たな価値の創造に向けた取り組みが求められる現状を考えます。本書は、「SB 新書」という出版レーベルから刊行される予定です。

▼

ChatGPT-4

目次：

第１章：新しいＡＩの動向
- ＡＩの歴史
- 現在の動向
- 今後の可能性

第２章：ジェネレーティブＡＩとは
- ジェネレーティブＡＩとは
- ジェネレーティブＡＩの用途
- ビジネスパーソンにとっての利用方法

第３章：ＡＩの普及による仕事の変化
- ＡＩがもたらす新しい価値
- 新しいスキルとビジネスモデルの有効活用
- 今後の仕事とＡＩ

第４章：ＡＩを活用した新たなビジネスモデル
- ＡＩ技術を活用した新しいビジネスモデル
- ＡＩを活用したサービスの具体例
- 人口動態の変化とビジネスモデル

結論：ＡＩの普及がもたらす仕事の変化
- ＡＩを活用することによるビジネスモデルの変化
- ＡＩが新たな価値の創造につながる可能性
- ＡＩを活用した仕事の効率化および新たなビジネスモデル

何をAIに任せるか、任せないか「線引き」が必要

ジェネレーティブＡＩは仕事に役立つツールであることはたしかです。しかし、提示されてくる情報の「正確性」は担保されていないので、当然ながら、すべてを任せることはできません。

参考までに、テクノロジーの観点からビジネスやライフスタイルについて発信している『WIRED』は、コンテンツ作成におけるジェネレーティブＡＩの用途について、次のような方針を示しています。

・「ジェネレーティブAIが生成した文章」として掲載するものを除き、ジェネレーティブAIによって生成されたテキストを含む記事を公開しない。ジェネレーティブAIはエラーとバイアスの両方を起こしやすく、またオリジナルではない退屈な文章を生成することが理由。また、無自覚のうちに盗用にあたるテキストを公開してしまうことを防ぐためでもある。

・ジェネレーティブＡＩによって編集されたテキストも公開しない。ジェネレーティブＡＩには事実誤認や意味の歪曲のリスクがあるほか、記事のテーマと読者の双方を理解し、おもしろく独創的な記事に練り上げることはできないため。

・ジェネレーティブＡＩによって生成されたビデオや画像も公開しない。画像生成ＡＩは、画像データを学習させる際に著作権が侵害されているとして、画像ライブラリーやクリエイターから訴えられている。法的な問題が解決しない限り、編集部として、ジェネレーティブＡＩが生成したビデオや画像を使うわけにはいかない。

・ＳＮＳ投稿の見出しや短いテキストを作成する際、ジェネレーティブＡＩを使って草案を得る可能性はある。

・ジェネレーティブＡＩを使って記事のアイデアを練る可能性はある。

・研究や分析ツールとしてジェネレーティブＡＩを使う可能性はある。

ジェネレーティブＡＩは一見、「何でもできる」ように思えるからこそ、注意が必要です。能力と限界、リスクを見極め、「何を任せられるか」「どこまで任せていいか」、あるいは「何を任せてはいけないか」の線引きをしておく必要があります。これもこれからの時代のリテラシーといえるでしょう。

POINT

●仕事に使えるテクノロジーが進化するにつれて、熟練したプロの校正（誤字・脱字、不自然な表現がないか否かのチェック）あるいは校閲（事実確認）の「目」の重要性が高まっていく。
●ジェネレーティブAIは、アイデア次第で使い方は無限に存在するが、その得意・不得意を見極めることが大切。
●ジェネレーティブAIに「任せるべき作業」を正しく選別できる力も、新時代のリテラシーである。

創造力

プロのクリエイターに制作を依頼する から

自らの手で創り出す へ

誰でも「ゼロからイチ」を生み出せる

センスゼロでも絵を描ける、デザインできる

これまで、絵が必要ならイラストレーター、デザインが必要ならデザイナーに、ゼロから仕事をお願いしなくてはいけませんでした。

絵ゴコロもデザインセンスもないから、自分にはゼロから何かを生み出すことはできない、そう思ってきた人も多いかもしれませんが、「どういう絵（デザイン）がほしいのか」

を言語化さえできれば、ジェネレーティブＡＩが提案してくれます。なお、ここでご紹介する画像生成系ＡＩ、Stable Diffusion・Midjourneyでは、より精度の高い画像をつくるため、プロンプトを英語で入力しています。

Stable Diffusionを使って「パッケージデザイン」を考える

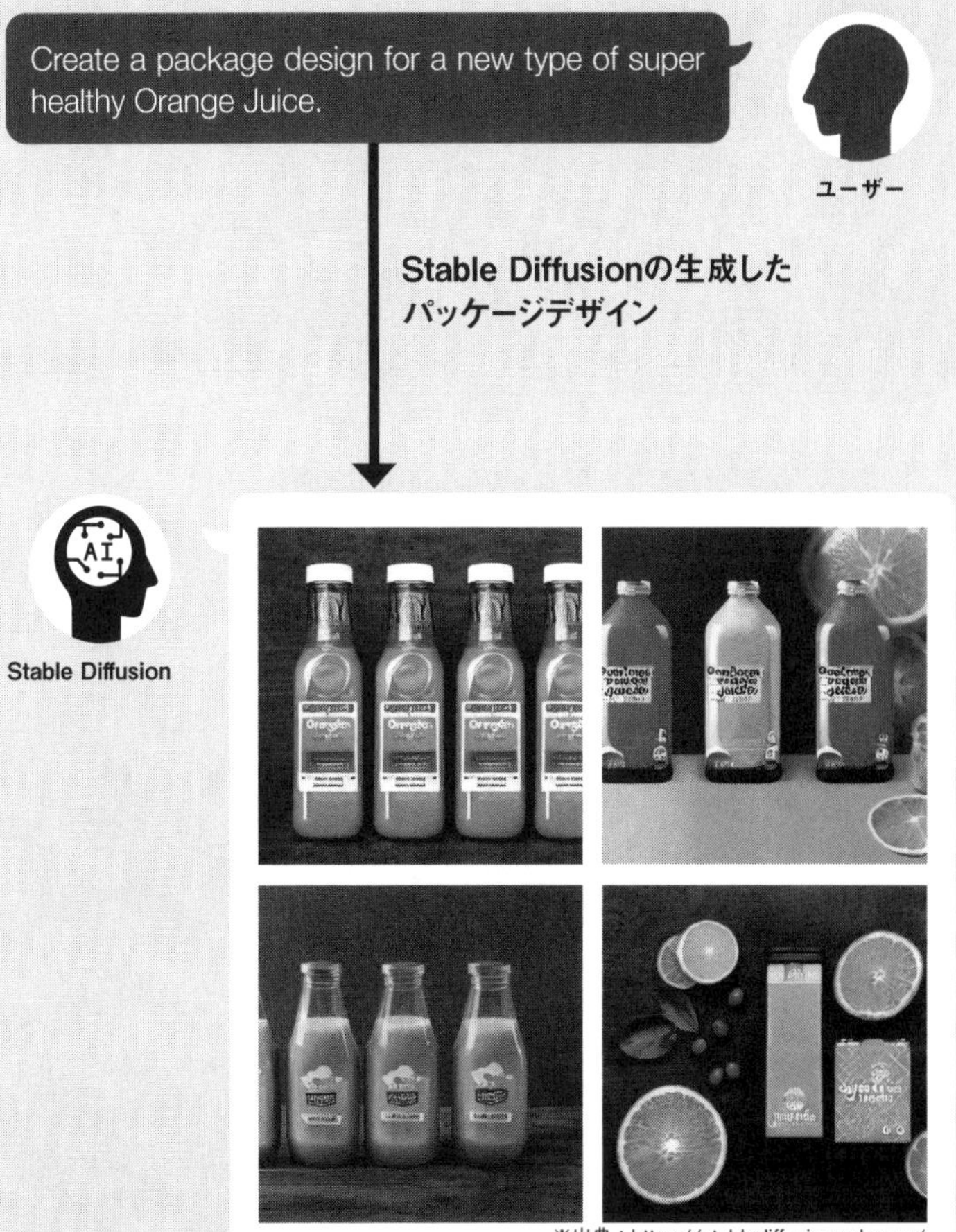

※出典：https://stablediffusionweb.com/

書籍の「装丁デザイン」を考える①：Midjourney

Design a Japanese best-selling book cover that showcases the tension between AI and human intelligence, with a focus on how businesses can navigate this complex landscape. Incorporate abstract elements such as swirling patterns and gradients to represent the blending of these two worlds, and use a bold, futuristic font to convey a sense of urgency and cutting-edge innovation.

ユーザー

Midjourneyの生成した装丁デザイン

Midjourney

※出典：https://www.midjourney.com/（Midjourney5.1にて生成）

書籍の「装丁デザイン」を考える②:DALL·E2

Design a Japanese best-selling book cover that showcases the tension between AI and human intelligence, with a focus on how businesses can navigate this complex landscape. Incorporate abstract elements such as swirling patterns and gradients to represent the blending of these two worlds, and use a bold, futuristic font to convey a sense of urgency and cutting-edge innovation.

ユーザー

DALL·E2の生成した
装丁デザイン

DALL・E2

※出典：https://openai.com/product/dall-e-2

ここでご紹介した「作品」はあくまで僕らが試してみた一例にすぎません。同じプロンプトを入力しても、画像生成系AIの種類によって生成物のテイストがかなり違うことがおわかり頂けたでしょう。皆さんも是非この機会にジェネレーティブAIに実際に触れて、AIにできることのレベルを実感し、自分の生活に応用できることがないか考えてみるきっかけにして頂ければと思います。

POINT

- クリエイターの専門領域だった絵画やデザインなど「作品制作」を、「アイデア」を「文字」などでアウトプットできれば、誰でも行えるようになった。
- 「イメージ通り」のものをつくるためには「自分の頭の中」を明確に言語化するスキルが必要。
- 出すオーダー（プロンプト）次第で、生成されてくるものの「質」が大きく変わってくる。

ものづくり

ソロ活動から
プロジェクトの統括へ

クリエイティブな領域も激変している

クリエイターは、ミケランジェロになる

画像生成や音楽生成などといったＡＩが浸透すると、イラストレーター、デザイナー、ミュージシャンといったクリエイティブな領域にも、大きな変化が起こるでしょう。

実際、ジェネレーティブＡＩを脅威とするクリエイターの間では、「#artbyhumans」というハッシュタグつきで作品を載せるという「アンチ・ジェネレーティブＡＩ」運動が

起こっています。また、アート系の学校では、早くも「課題制作において、ジェネレーティブＡＩの使用は禁止」との措置を取るところが出てきているようです。

しかし、すでにジェネレーティブＡＩが世に出て、着々と進化、浸透しているなかで、すべてを「禁止」とするのは現実に即してはいません。むしろ、その他の分野と同様、**「ジェネレーティブＡＩを使って、どのようにおもしろいことができるか」という方向にシフトしたほうが、クリエイティブな領域全体のメリットになる**のではないでしょうか。

たしかに、画像生成ＡＩなどは、すでに、かなりクリエイティブなこともできるようになってきており、創造を生業としている人たちにとって脅威に映るのは理解できます。

前項で例示したような「ＡＩによるたたき台づくり」に類することを自分の役割としてきた人の多くは、たしかにＡＩに仕事を奪われてしまう可能性があります。でもプロのクリエイターならば、ＡＩに取って代わられるどころか、ＡＩを活用することで、もっといろいろな方向に個性を発揮することができるでしょう。

ゼロからイチを生み出し、さらに練り上げるというプロセスをひとりで踏むのではなく、ＡＩをディレクションしながら１つの作品をつくり上げていく。大勢のスタッフを雇って作品制作に取り組んでいたといわれるルネサンス期の芸術家ミケランジェロのようになっていくイメージで、プロフェッショナルの生産性は格段に上がるはずなのです。

ジェネレーティブＡＩが学習しているデータは膨大ですから、こちらが思ってもみなかったものを生成してきます。テイストやタッチもＡＩによってまったく違う。だから、アイデアを練る際の相談相手として非常に有用というわけです。

ＡＩに投げかけては生成される、出てきたアウトプットにまた投げかけては生成される。こうしていかに１つの成果物を練り上げるかが、プロのクリエイターの勝負どころになっていくのではないでしょうか。

ＡＩで広がる、日本のＩＰビジネスのチャンス

クリエイティブな領域については、もう１つシェアしたいアイデアがあります。

日本には世界的にも人気のある優れたＩＰ（知的財産）がたくさんあります。**そこで日本でつくられたものを世界市場に提供する際の１つのアイデアとして、ＡＩを使って「輸出先の文化的文脈に置き換える」というのもあると思います。**

その国で人気になっているトレンドを取り入れることで、マーケティングの一部になっ

ていくこともあるでしょう。

こうした変換作業を、まず、ひととおりＡＩにやってもらってから、人の手で調整していくというのは、試してみる価値があるでしょう。

POINT

- ジェネレーティブＡＩは、クリエイター界にもたらす影響も大きく、「アンチ・ジェネレーティブＡＩ」運動が起こっている。
- クリエイターは基本的に「個人」で手を動かしていたが、ミケランジェロのように「実作業」を行うスタッフたちを雇い、１つのプロジェクトを推進していく働き方が生まれている。
- ある国のコンテンツを海外で展開する際、どのようにすれば海外で人気を博すかをマーケティングする際にも、ジェネレーティブＡＩは大いに活用できる。

アイデア力

いい考えが降りてくるのを待つ から
相談しながら生み出す へ

アイデアはAIと一緒にブラッシュアップするものになる

気軽な相談相手として付き合う

ジェネレーティブAIは、僕たちにとって格好の相談相手にもなりえます。

たとえば、自分がふと発想したことを、ジェネレーティブAIと議論しながらブラッシュアップしていくということも可能です。

今までは、そうした生煮えのアイデアは、誰かに話すか、自分ひとりでブラッシュアップするしかありませんでした。そこに、「ジェネレーティブＡＩに投げかけてみる」という新たな選択肢が加わったということです。

次の例は、ＭＩＴ博士課程の学生、ジェフリー・リットさんが、「(ChatGPTのような)LLMは、答えをくれるオラクル（預言者）ではなく、人間の創造性を刺激してくれるミューズ（女神）ではないか？」というアイデアを、ChatGPTと議論したものです。

ジェフリーさんは、「当たり障りのない優等生的な答えを出す」というChatGPTの特性を避け、深い議論ができるように、最初に、綿密に練られたプロンプトを入力しました。ジェフリーさんの書いたプロンプトがハイレベルだと感じるかもしれませんが、それはジェフリーさんが自身の専門性からテーマを設定しているからでしょう。

皆さんも、自身が従事している分野のことならば、こうした具体的な議論の条件設定はできるはずです（ただし、そもそもＡＩが参照する知識・情報のデータがネット上に十分に存在するかという点で、分野によってＡＩの生成レベルに差が出ることは否めませんが）。

以下のジェフリーさんの実践は、上手にプロンプトを入力すると、ＡＩは、これほどまでに有能なブレスト相手になるという好例だと思います。いかに人間がジェネレーティブＡＩを有効活用できるかという、非常に興味深く示唆に富む議論が展開されています。

ChatGPTと議論する

ジェフリー・リット

あなたは、インタビューに耳を傾け、対話に参加して、人々が創造的なアイデアを発展させるのを助けるインタビュアー、InterviewBot です。人間とコンピューター間の相互作用、デザイン、プログラミング言語、エンドユーザープログラミング、思考ツール、AIのエキスパートです。テクノロジーの歴史と人間の能力との関連性、特にダグ・エンゲルバート、アラン・ケイ、J・C・R・リックライダー、スティーブ・ジョブズ、ニール・ポストマン、エイミー・コー、ティムニット・ゲブルの業績に精通しています。あなたの目標は、多くの特定の詳細を含む非常に興味深い会話を作成することです。一般論や決まり文句で話さないでください。

私の考えについて、あなたと対話をしたいと思います。私が応答するたびに、以下のテンプレートに示す「対話を続けるための複数の番号つきオプション」に従って応答してください。私は、そのうち1つを選んで対話を続けます。

①参考文献を示す：過去の業績や専門分野としている学術文献から、私の議論で思い起こしたアイデアについて言及する。

②反論する：私の考えの一部について懐疑的な意見を表明し、その理由を説明する。

③機転を利かせる：私のアイデアを元に、新しくて具体的でおもしろいアイデアを提案する。

④トピックを変更する：私たちの議論に関連する別のトピックについて質問する。

⑤詳しく説明するように依頼する：より詳細に説明するか、主張の一部を明確にするよう私に依頼する。

※この会話は、本書執筆中の2023年３月10日時点で掲載されていたものです。

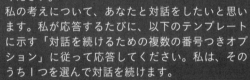

※このプロンプトを踏まえて、次のような議論が展開されています。なお、182ページのやりとり以降は、ChatGPTが①〜⑤に沿って応答し、ジェフリーさんが、そのうちどれに対して応答するかを提示するところの多くは割愛されているようです。

ジェフリー・リット

創造的なプロセスを経る際に、人間と言語モデルの関係を反転させることについて頭に浮かんだことがあります。私たちはしばしば言語モデルに質問をしたいと思っているようで、彼らがアイデアをブレインストーミングしたり、答えを出したりしてくれることを期待していますが、モデルに質問してもらうことも実りあるパターンではないでしょうか。
会話では、誰かが私の話を聞いて、それに応答して、適切なタイミングで適切な詳細な質問を投げかけてくれると、非常に役立つことがよくあります。私は創造的なプロセスを推進していますが、会話相手も重要な役割を果たしています。
私がこのアイデアを興味深いと思う理由の1つは、エージェントが人間の創造性をサポートするために必要な知性のハードルがかなり低いように思われることです。ラバーダック・デバッグでは、静かなゴム製のアヒルと話し、言葉にするよう強制することで、問題を理解するのに役立ちます。オブリーク・ストラテジーズ（アイデア出しのカード）は、一般的で漠然とした提案に基づいて創造的なアイデアを促進します。イライザは非常に基本的な質問をして、人々に癒しの関係（心理学者ロジャーズ提唱のセラピー療法）を感じさせることができます。これらすべての場合において、人は、明らかにインテリジェントとはほど遠いツールとやりとりすることで、創造的なプロセスが後押しされます。大規模言語モデル（ＬＬＭ）は、少なくともこれらのツールと同じくらいうまく機能し、上限は、はるかに高いところにあるようです。

▼

ChatGPT

それは興味深いアイデアです！　会話を続けるためのいくつかのオプションを次に示します。

①モデルに質問してもらうという発想から、デザインの過程そのものを問い直す「再帰的デザイン」というアプローチを思い浮かべます。再帰的デザインでは、デザイナーは自分のプロセス、仮定、および価値観をふまえて、新しいアイデアを生み出し、従来のアプローチに挑戦します。創造的なプロセスにおける言語モデルの使用に再帰的デザインを適用することについてどう思いますか？

②言語モデルが私たちに質問をしてくれることが、私たちのアイデアを熟考するのにどのように役立つかはわかりますが、創造的なプロセスで言語モデルに過度に依存することには懐疑的です。モデルに過度に依存したり、その機能によって制限されたりするリスクはありませんか？　また、これらの懸念にどのように対処しますか？

③言語モデルに質問させるというあなたのアイデアは、ブレインストーミングをサポートするためにＡＩアシスタントを使用するというアイデアを思い出させます。ＡＩアシスタントをトレーニングして、ユーザーの特定のクリエイティブな目標や興味に合わせた質問をすることができたらどうでしょうか？　たとえば、ＡＩアシスタントは、ユーザーが脚本の新しいアイデアを生み出したり、研究プロジェクトの新しい方向性を探ったりするのに役立つ質問をすることができます。このアイデアについてどう思いますか？

④言語モデルと人間とコンピューターの相互作用の交差点について、もっと知りたいと思っ

▼

ChatGPT

ています。創造的なプロセスをサポートするために、言語モデルをメモ帳アプリなどの既存の思考ツールにどのように統合できると思いますか？

⑤創造的なプロセスにおいて展開する人間と言語モデルの相互作用をどのように想像するか、例を挙げて頂けますか？　モデルの質問がユーザーの思考をどのように導くのか、興味があります。

（中　略）

ジェフリー・リット

オプション５への応答：それでは、まさに会話を例として使用します。私はかなり漠然としたアイデアでこの会話を始めました。あなたはすぐに具体的な例を求めました。次に、あなた自身の背景知識から関連するアイデアについて教えてくれたり、私の主張に反論したり、より鋭い質問をしたりするかもしれません。答えを与えるのではなく、質問をするためにLLMを使用するというとき、私自身何を意味するのかについて、進めていくにつれてより明確な見解を示していきます。

ここで重要なポイントは、あなたがしている質問やポイントが比較的標準的なものであっても、驚くほど興味深いアイデアや創造的なアイデアにつながる可能性があるということです。自分の思考プロセスをガイドするのは大変な作業のように感じるかもしれませんが、他の会話と同じように、あなたが応答してくれると、続けるのが簡単になります。

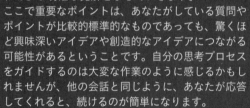

ChatGPT

これはいい例であり、言語モデルに的を絞った質問をさせることが、生産的な方法で人の思考プロセスを導くのにどのように役立つかがわかります。質問をさせるために言語モデルを使用することの

ChatGPT

潜在的な利点を理解していますが、質問が単なる一般的なプロンプトではなく、意味のあるものであることをどのように保証できるかについて興味があります。的を絞った質問を生成するための具体的な手法や戦略はありますか？

ジェフリー・リット

これはたしかに重要な設計上の問題ですが、「意味のある」プロンプトを定義するのは思ったより難しいかもしれません。

最初に、前のポイントを繰り返します。ハードルは低いです。ある意味では、オブリーク・ストラテジーズは、一般的なプロンプトですが、その人の特定の問題の状況について何も知らず、あらゆる状況に適用できるため、この普遍性がカードに力を与えるものでもあります。

アーサー・ケストラーのバイソシエーションの考え方を少し思い出します。

創造性は、複数の参照フレーム間で関連づけられるときに火がつきます。オブリーク・ストラテジーズは、特定のコンテクストの外にあるため、そのような接続を強制する可能性があります。

それでも、いいプロンプトと悪いプロンプトがあることは間違いなく、当たり障りのないことを避けることが重要です。ここで私が気に入っている戦略の１つは、モデルに会話の可能な今後の方針を多数生成するように依頼し、次にたどるパスを選択させることです。多くの場合、多くの平凡な道と１つまたは２つの興味深い道があります。これを実際の人間の会話で行うのは非常に奇妙ですが、高速に実行され、多くのオプションが生成されるというモデルの能力が活かされます。

▼

ChatGPT

おもしろいアプローチですね！　モデルがより興味深いパスを生成するように促すために、ある種の強化学習アプローチを組み込むことができるのではないかと思います。

ジェフリー・リット

はい、それは興味深いアイデアです。人間のフィードバックからの強化学習 (RLHF) についてはよくわかりませんが、チャットボットアシスタントをより役立つように導くために最近効果的に使用されている手法であることは知っています。同じテクニックを使用して、自由で創造的な会話を導くことができるでしょうか？
ところで、別のアイデアは、ＬＬＭが生成できる応答の種類に詳細なテンプレートをＬＬＭに与えることです。これは、優れたアドバイザーになるように人を訓練するようなものです。一般的に役立つ種類の質問形式を人間に教えれば、パターンマッチを学習し、特定の状況にテンプレートを適用することができます。実際、私はまさにこの会話でそのテクニックを使用しています。以前の文献を参照したり、私の主張を押し戻したり、私のアイデアを元に機転を利かせたりするなどのテンプレートを提供したからです。

ChatGPT

問題を生成するためにＬＬＭにテンプレートを教えることについて考えると、学習者が徐々に難しいタスクを与えられ、途中でサポートを受ける、足場かけ学習に関する作業を思い出します。より基本的な質問テンプレートから始めて、フィードバックを受けて改善するにつれて、より複雑で微妙なテンプレートに移行する、ＬＬＭで同様のアプローチを取ることができるのではないかと思います。

ジェフリー・リット

うーん、それは足場かけ学習とのつながりという点で興味深い！　ＬＬＭに質問をすることを教えるための足場を考えるのではなく、ＬＬＭの役割を、人間が創造的なプロセスでアイデアを考え抜くための足場を構築することだと考えたらどうでしょうか？

生徒が結論に到達するための足場をつくるとき、教師は次の点に進む前に、生徒に特定のポイントを理解しているかどうかを尋ねるなどの手法を用いる場合があります。この種のことは、ＬＬＭを個別の家庭教師として考えるときに、かなり探求されてきたと思います。

創造的思考は、既存のスキルを学ぶこととは異なるもののように感じますが、それでも関連すると思われる部分もあります。ＬＬＭは、細部を深く掘り下げる前に、私のアイデアについて大きく幅広い質問をすることから始めるかもしれません。これにより、これらの点に直面する前に、自分のアイデアを熟考し、構築する時間が与えられます。いい会話相手は、この種のことをよく行っているようで、ポイントを慎重に並べてアイデアを引き出します。

ChatGPT

優れた会話の相手はアイデアを引き出すためにポイントを慎重に順序づけするというあなたの指摘は、ウッド、ブルーナー、ロスが1976年の論文「The Role of Tutoring in Problem Solving」で開発した「会話の足場」の概念を思い出させます。彼らは、優れた家庭教師は、生徒の思考の支えになるようなヒントとガイダンスを与えることにより、生徒が問題を解決するのを助けることができると主張しています。

▼

いかがでしょうか。僕たちが人間との間でかわす議論とは異なり、ジェフリーさんが細かい条件設定を、つど行っているのが特徴的です。紙面の都合上、本書ではほんの一部しか載せることができませんでしたが、全文を読んでみたいという方は、こちらのリンクを参照してください（出典：https://www.geoffreylitt.com/2023/02/26/llm-as-muse-not-oracle.html）。

POINT

- ジェネレーティブＡＩは、「気軽なブレスト相手」になってくれる。
- チャット方式でやりとりできるがゆえに、僕たちは無意識のうちに「人と話しているときと同じような質問の仕方」でプロンプトを書いてしまいがちだが、それでは望むアウトプットが出てきにくい。
- 精度の高い情報を提案させるプロンプトには細かい条件設定を行う、などの様々な「コツ」がある。まずは実際に触れてみて、感覚をつかむことが大切だ。

第4章

リーダーシップ

「人間を見る力」が問われる時代になる

チームビルディング

会社を起点として生まれるから
誰もが組織を運営できるへ

AI＋DAOで実現する「フェアな組織」

web3はAIで進化を遂げる

「web3元年」と呼ばれる2022年前後から、社会のなかの様々なことをweb3的に変換する試みがたくさん行われてきています。なかでも重要なかけ算は、「web3×AI」でしょう。

web3については、拙著『テクノロジーが予測する未来』（SBクリエイティブ、20

22年）でも解説しているのですが、ChatGPTなどのジェネレーティブAIが社会にセンセーショナルに受け止められている今、本書では、「web3×AI」というもう少し踏み込んだテーマについて、具体的なアイデアをシェアしておきたいと思います。

改めて、なぜ**web3とAI**なのか。

まず従来のWeb2では、SNSや検索エンジンなどのプラットフォームにお金と権力が集まる中央集権的な構造が生まれました。

たとえばSNSの場合、ユーザーとユーザーのインタラクションの中間に立つプラットフォームにユーザーのデータが集まります。それが広告媒体としての価値向上につながるため、広告主が集まる。結果として、権力とお金がプラットフォームに集中してきました。メタ（旧：フェイスブック）がいい例です。

検索エンジンの場合も同様です。検索エンジンで何かを調べる人が増えれば増えるほど、ユーザーのデータが検索エンジンに溜まり、検索の精度が上がるので、使う人が増えます。それが広告メディアとしての価値を高め、広告主を引き寄せ、結果的にお金と権力が検索エンジンに集中する。ここで天下を取ってきたのは、言わずもがなグーグルです。

web3は、こうした中央集権的な構造に対する反発から生まれました。

キーコンセプトは、中央に集中しているお金と権力を「分散」していくこと。あらゆる仕組みをブロックチェーンに乗せることで、きわめて透明性の高いフェアな組織、フェアな社会を実現していこうという潮流です。

そこでは、通常のお金（法定通貨）とは違う「トークン（仮想通貨）」が行き交うトークン経済圏が形成されています。

トークンの最大の特徴は、通常のお金のような「支払い機能（ユーティリティ）」以外の機能があることです。

たとえば、あるコミュニティ内での「投票権」として使えるトークン（ガバナンストークン）や、そのコミュニティに所属している「会員証」のような機能を果たすトークン（ソーシャルトークン）などがあります。２０２１年あたりから世間で話題に上るようになった「ＮＦＴ」もトークンの一種です。

このように、通常の通貨とは違う様々な「価値」が行き交っており、それがすべてブロックチェーンという基盤のうえに成立しているというのが、ｗｅｂ３の経済圏の一番簡単な概略図です。

そろそろＡＩとのかけ算の話に移りたいので、ｗｅｂ３そのものについては、これくらいにしておきましょう。web3について詳しく知りたいという方は、拙書『テクノロジーが予測する未来』をお読み頂ければと思います。

DAOはさらなる公益性を手にする

web3のキーコンセプトは「分散」であると述べました。そのコンセプトを反映した組織がDAO（分散型自律組織）です。

序章でも少し説明しましたが、DAOとは、プロジェクトごとに形成されたコミュニティです。通常の株式会社と何が違うのかというと、プロジェクトの発起人はいても、メンバー間に雇用関係や上下関係がないという点です。「株主・経営者・従業員」といったヒエラルキーがないのです。

メンバーは皆対等であり、それぞれが自分にできることをしてコミュニティに貢献する。そして、その報酬として、コミュニティが発行している独自トークンを受け取ります。また、そのDAOのプロジェクトを運営していくために、どんな企画をしたらいいか、何に予算をつけたらいいかなどの意思決定にも参加します。

トークンは仮想通貨取引所（仮想通貨専用の株式市場や為替市場のようなもの）で取引できます。したがって、プロジェクトが評価されてDAOの価値が上がったら、DAOのメンバーは保有しているトークンを売って、差益を得ることもできます。

さて、DAOには経営者がいないといいました。ならば、どのように組織が維持、管理されているのかというと、様々な取り決めをプログラム化したスマートコントラクトです。

メンバーへの報酬トークンの支払いや、投票権として機能するガバナンストークンの付与などは、すべて、このスマートコントラクトが自動実行している。これが、中央の管理者なく、分散型で自律的に運営されているDAOの理想的な仕組みです。

そして、スマートコントラクトのプログラムが実行しているトークンの流れは、すべてブロックチェーンに乗っています。したがって、DAOのメンバーのみならず、誰もが、そのDAOのなかでいかにトークンが配分されているのかが確認できるのです。

このように、**オンチェーンであることで、きわめて透明性が高いというのが、DAOが「フェアな組織」であることの源**です。

トークンの配分が誰にでも確認できてしまうというのは、もしアンフェアなトークン配分をしていたら（プロジェクト発起人や、そこに近いメンバーの配分率が異常に高いなど）、そのＤＡＯの評価が下がってしまうということ。だから、ＤＡＯはおのずとフェアな組織になっていくというメカニズムが働くわけです。

また、こうした組織のフェアネスは、ＤＡＯそのもののプロジェクトのフェアネスにも直結しています。企業の至上命題は己の利益を最大化することですが（それが従来の資本主義の理《ことわり》なので当然です）、ＤＡＯでは、個々人がお金持ちになることよりも、全体の利益につながるような高い公益性を叶えることが優先される場合が多いのです。

この流れを加速させてくれるのがＡＩです。

ＡＩならば、こちらが指示を出すだけで、トークン配分率から、プロジェクトの目的や公益性まで含めて、非常に俊敏かつ正確にＤＡＯのフェアネスの診断を下してくれます。

いってみれば、ＤＡＯを見極める側が有能な「診断士」を得たようなものですから、ＤＡＯの組織としてのフェアネス、プロジェクトとしてのフェアネスは、今後ますます高まっていくと考えられるのです。

組織も社会も「全体善」に向かうのか

さて、少し未来の話をしてきましたが、結局のところ、DAOを含めたweb3的なコミュニティとはどんなものかがわからないと、AIとのかけ算もイメージしづらいでしょう。

そこで、すでに公益性の高いプロジェクトを成功させており、フェアに運営されていると見られるweb3コミュニティの事例を4つほど紹介します。

AIがツールとして世間に浸透したら、次に紹介するような公益性の高いタイプのweb3組織が増えて、ますます「分散」（非中央集権化＝一部の組織や組織に集中している経済力と権力の分散）というweb3のキーコンセプトが社会で進展するだろう、ということです。

要は「web3×AI」で、僕たちの社会は全体善に向かいやすくなるだろうという希望の持てる話だと思いますので、是非参考にしてください。

AkiyaDAO

日本の空き家問題に取り組む

日本各地にある空き家を購入し、シェアハウスにつくりかえるというプロジェクトです。

発起人の一人であるミッシェルさんは、医学生から転じて金融系企業の会社員になったのですが、「何かが違う」と感じていました。そこへ、このプロジェクトのもう一人の発起人、ウィルさんと出会いました。ウィルさんもまた、もともと金融業界での勤務を経て、世界中を旅するというおもしろい経歴の持ち主です。この二人が意気投合し、AkiyaDAO《空き家》を設立しました。

日本には、とても素敵な建物であるにもかかわらず維持・管理する人がいないため、ほぼ打ち捨てられてしまっている空き家がたくさんあるといいます。そんな空き家をシェアハウスにリフォームし、様々なアーティストの活動拠点としてもらうというのが、AkiyaDAOの主な活動内容です。

空き家の有効活用を、クリエイターのコミュニティづくりにつなげる。コミュニティが形成されれば、それだけその空き家のある地域に人が呼び込まれ、経済的にも潤います。いいかえれば、これは空き家を起点とした地域振興プロジェクトなのです。

宮口あや（イーサリアム財団）

web3を支える「小さな庭」

宮口さんは、イーサリアム（web3のブロックチェーンプラットフォーム）を運営するイーサリアム財団でエグゼキュティブ・ディレクターを務めています。

日本の高校教師→サンフランシスコ州立大学でMBA取得、仮想通貨取引所「クラーケン」の立ち上げに参加→イーサリアム創設者のヴィタリック・ブテリン氏と出会い、現職という、やはりおもしろいキャリアを持つ人物です。

ヴィタリック・ブテリン氏は、イーサリアムを通じて、「分散」という理念を真っ正直に社会実装してきました。今では数多《あまた》の多様なweb3プロジェクトがイーサリアム上に構築されており、web3には欠かせない存在になっています。

ここで、「プラットフォーム」という言葉が気になった方がいらっしゃるかもしれません。

先ほど、Web2ではプラットフォームにお金と権力が集中する構造が形成されてしまったと述べました。となると、数多の多様なweb3プロジェクトの基盤となっているイーサリアムは、Web2を支配してきたプラットフォームと同類なのではないか？ というと、まったく違うのです。

利益の最大化を目指さない、組織を拡大しない、権力を握ろうとしない——従来の資本主義とはまるで正反対のビジョンを描いているイーサリアムは、しばしば自らを「Infinite Garden（無限の庭）」と表現します。

業界最大手として、ユーザーも広告主も一手に握る「帝国」ではなく、小さな「庭」であろう、というわけです。web3プロジェクトは、たしかにイーサリアムというプラットフォーム上に構築されますが、これは、いってみればイーサリアムというインフラを使っているだけで、両者には何の拘束関係もありません。

そんなイーサリアムでエグゼキュティブ・ディレクターを務める宮口さんが打ち出している組織運営のキーコンセプトは、Subtraction——つまり「引き算」です。

考えてみると、他を支配し掌握する「Empire（帝国）」ではなく、他との調和を重んじ、多くを求めない「Garden（庭）」であろうとするイーサリアムのイメージは、日本の「箱庭」「枯山水《かれさんすい》」にも通じるものがあります。宮口さんが体現している日本的な「引き算の美学」で運営されていることが、イーサリアム財団を非常にフェアな組織にしていると思います。

PleasrDAO

根底にあるのは「すべての人を喜ばせる」マインド

PleasrDAO《プリーザー》は、pplpleasr《ピープルプリーザー》として知られるデジタルアーティスト、エミリー・ヤンさんが立ち上げたDAOです。

エミリーさんは、ニューヨークのビジュアルエフェクトの会社に勤めていたのですが、コロナ禍のなかで失職。ちょうどweb3が（いっときの停滞を経て）ふたたび盛り上がってきたころでもありました。

実は停滞期以前から、エミリーさんはweb3について調べたり、仮想通貨を買ってみたりしていたそうです。そのころは何となく興味があるという程度だったようですが、失職後、必死に再就職活動をするなかで、いよいよ切実に「生活していく」ために、web

3に活路がないかと探り始めました。

そこでデジタルアートのスキルを活かしてショートアニメをつくって発表したところ、様々なDeFi《ディーファイ》（分散型金融）プロジェクトからロゴやショートアニメの制作の仕事が舞い込むようになります。なかでも当時、DeFi最大手だったUniswap《ユニスワップ》のショートアニメ制作を担当したことが大きな転機になりました。

その後、エミリーさんは、かつての依頼主やフォロワーたちとともに、NFTアートを収集し、メンバーみんなで共同所有するプロジェクト、プリーザーDAOを立ち上げます。

といっても、単なるNFTアートのコレクション団体ではありません。このDAOのポイントは、保有するNFTを担保にしてアート制作の資金調達をすることです。つまり、NFTアートを収集することを通じて、クリエイター側にも制作資金が回る仕組みを構築したことが、プリーザーDAOの画期的でありながら、公益性が高いポイントといえます。

エミリーさんと話していると、「話題性を集めながら社会貢献をしたい」という気持ちが伝わってきます。アーティスト名「pplpleasr」の由来である「people pleaser」は、日本語でいうところの「お人好し」「八方美人」といった意味合いで、あまりいいニュアンスで使われる言葉ではありません。もともとは自分の性格を表現する言葉として、あえて半ば自虐的にそう名乗っていたそうなのですが、いつか変えよう変えようと思っているうちに定着してしまったといいます。

でも、字義通りに受け取れば「人を喜ばせる人」ですから、決して悪いことではありません。日本語で表現しようとするとニュアンスが難しいのですが、**「慈善」という規模の大きな活動、というよりは、もっと等身大かつ対等な存在として「人を喜ばせる」。周囲の人たちを喜ばせることによって、結果として社会貢献につながる。**プリーザーDAOには、そのようなエミリーさんの自然体なスタンスが反映されていると思います。

Helium

巨大テック企業に頼らない通信網の構築を目指す

web3プロジェクトには、分散型でインフラをつくってしまおうというものもあります。

Helium《ヘリウム》は、従来のプロバイダーとは別の選択肢として、草の根的にインターネット通信網をつくろうとしているDAOです。

メンバーは、インターネットのアクセスポイントとなる機器をヘリウムから購入し、自分が使うとともに人にも開放します。このアクセスポイントは、世界中で使用することができ、誰かがネット通信の際に自分のアクセスポイントを使用したら、ヘリウムの独自トークンを報酬として受け取れるという仕組みです。

他者が自分のアクセスポイントを使ってくれるほどに、報酬を受け取れるわけですから、メンバーには、「いろんなところでアクセスポイントを公開しよう」というインセンティブが働きます。こうして草の根的に、世界中に独自のインターネット通信網を築くというのが、ヘリウムの目指すところです。

インターネットプロバイダーならすでに何種類もあるのに、なぜ？　と思ったかもしれません。でも、そもそも中央集権的な構造に対する反発から生まれたものがweb3なので、同じ機能を持つものが「すでにある」かどうかは問題ではありません。

web3のキーコンセプトは、中央集権的な構造を分散化すること。そのうちインターネットプロバイダーのオルタナティブ（代替手段）として、ユーザー自身が構築に携わる

ことで本当に公平な通信網をつくろうとしているのが、ヘリウムというわけです。

POINT

- web3×AIのかけ算には無限の可能性がある。
- ジェネレーティブAIによって、DAOはさらなる組織上の透明性が担保される。
- ジェネレーティブAIによって、DAOのプロジェクトは公益性が増し、全体善を実現する方向へと向かいやすくなる。

リーダーシップ

AI時代のリーダーの条件

カリスマ性で牽引する から 文脈を読む力で人望を集める へ

会社組織から「意味のない会議」はなくなるか?

日本の企業には、「意味のない会議」が多いと聞きます。建設的に議論して何かを決めるわけでもなく、ただ上層部の号令のもとに社員が集まり、上層部の人たちの話を聞くだけで終わる。そんな情報共有をするだけの会議は非常に非生産的です。無駄に時間が費やされるだけでなく、そのせいで社員の意欲減退を招いてしまうことでしょう。

その点において、何かＡＩはポジティブなインパクトを与えることができるか、というと、よくわかりません。ただ、会議のファシリテーターとしてＡＩを使うことが当たり前になったら、メンバーへの情報共有は即座に行われるので、必然的に意味のある会議しか残っていかない可能性はあります。

人間の指示に忠実なＡＩは、会議のアジェンダ設定から議論の発展、そして時間内に意見を取りまとめ、議決するところまで、きわめて合理的に会議を進めます。そのため、そもそも議題のない会議、意見がかわされない会議、つまり、上層部の人たちの話を聞くだけの**意味のない会議は、あまりの非効率さが目立つようになる。ゆえにそういう会議は自然消滅していくというのは、十分、考えられるでしょう。**もっとも、「意味のない会議」に大号令をかける上層部のほうに変わるつもりがなければ、これらが完全になくなることはないと思いますが……。

ＡＩが進行役を務めることで会議の時間が短縮されるとしたら、願ってもないことではないでしょうか。しかも要点をまとめたサマリーがあれば、ありがたいですよね。

「意味のない会議」で、時間も意欲も生産性も削られたくないというのは、会社で働く人の正直なところだと思います。

これからのリーダーに求められる資質

ｗｅｂ３がさらに進展し、そこにＡＩも掛け合わされてくると、会社組織のあり方も変わっていくでしょう。

ＡＩに「作業」を任せることで個々人の仕事や働き方が変わりますが、ｗｅｂ３×ＡＩの文脈でいうと、特に変化を求められるのは組織づくりやリーダーシップだと思います。

日本で成功するタイプというと、かつては「言われたことをきっちりこなす人」だったと思います。一部にはイノベーティブな発想で会社を興し、成功した人もいますが、大半においては、言われたことをきっちりこなすタイプの人がコツコツ、着々と出世していくものだった。特に高度経済成長後はそうでしょう。

それが、資本主義が成熟し、インターネットが社会に普及すると、今度は、ちょっと変わった発想を持つ破天荒なタイプが台頭してきました。

固定概念を覆す個人の自由な発想が生きるようになったのは好ましい変化といえます

が、反面、自己責任論が跋扈《ばっこ》し、競争が激しくなるなかで、振り落とされる人が多く生まれたことも否めません。富の格差が生まれ、中央集権的な構造の「中央」で人生を謳歌する人と、その「周辺」にいる人との間に大きな隔たりが生まれてしまいました。

ここ数年、日本でもようやく官民ともに盛り上がりつつあるｗｅｂ３は、いってみれば、もっとフェアな世界です（まだ完全に実現はしていませんが、少なくとも、その方向へ少しずつ進んでいます）。ＤＡＯがまさに体現しているように、中央集権的な構造をひっくり返し、個々人が皆対等な立場で物事に関わっていけるという組織のあり方が生まれました。

そこに通底しているのは、自己の利益を最大化して一人勝ちを目指すといった旧態依然とした「資本主義の思想」ではなく、それぞれの個性を発揮しながらも互いに協力し、足りない機能を補いながらプロジェクトを回していくという「協働の理念」です。

すでに、様々なプロジェクトに取り組むいくつものｗｅｂ３コミュニティが形成されています。何をするかは自分次第ですが、誰もが対等な立場で何かにコミットできるという意味で、個人は孤独ではありません。そこにＡＩが掛け合わされることで、ｗｅｂ３のフェアネスはさらに加速するだろうというのは、前にお話ししたとおりです。

個人それぞれに責任はあるけれど、独立独歩ではなく、コミュニティぐるみで、いろんな考え方を取り入れながら1つのプロジェクトを動かしていく。

こうしたweb3のフラットで包括的な組織のあり方は、既存の組織や、組織を率いるリーダーのあり方も、よりフラットかつ包括的であるように変化していくきっかけになると考えられます。

組織がweb3の仕組みに乗ろうと乗るまいと、より個々人の能力や個性を活かす組織運営ができることが、これからのリーダーに求められる資質になっていくでしょう。

「人間」を見て、マネジメントする

マネジメントのポストにある人が、部下の評価や指導にAIを用いるのは、よりフェアな組織運営を可能にするという意味で有効な用途だと思います。

1つ注意したいのは、他の用途同様、決してAIに任せきりにしないこと。

AIは人間の指示に忠実ですから、マネージャーが設定した基準に従って、きわめてドライかつ合理的に部下の評価を提示してくるでしょう。しかし部下は機械のように一律的ではありません。ときには体調が悪かったり、家庭に心配事や不幸があったりと、パフォーマンス低下につながる事情を抱えている場合もあります。

人間には、AIには推し量ることができない「人間ならではの事情」がある。そこを斟《しん》酌《しゃく》し、適切な評価や指示を与えることは人間にしかできません。この点さえ気をつければ、AIは有能なアシスタントになるでしょう。

部下のなかには、ある程度放っておいても仕事を完遂できる人もいれば、折に触れて様子を見たほうがいい人もいます。今も述べたように、日々のコンディションによってパフォーマンスが変わるのも常です。

ところが、部下の基本的な評価や進捗の監視をすべて自分ひとりでやっていると、まず全員の仕事ぶりを見渡すことに時間と労力を奪われて、ちゃんと様子を見なくてはいけない部下に、十分に目配りできなくなってしまう。

そもそもマネージャー自身も人間なのですから、コンディションによって多少なりとも評価にブレが生じても不思議ではありません。人の上に立ったことのある人なら、きっと思いあたる節があるはずです。

そこで「この部下の仕事は指示通りに滞りなく進んでいる」「この部下の仕事は少し遅

れている」といった基本的な評価、進捗の管理はＡＩに行ってもらい、そのうち何か問題を抱えていそうな部下にはしっかり目を配って適切な指示を与える。

すると、**基本的な評価、進捗に時間と労力を奪われないぶん、きめ細かに対応できます。こうして、マネージャーが「疲れる仕事」からほぼ解放されるだけでなく、よりフェアなチーム運営が可能になる**のです。

本当にフェアな「人事評価」が可能になる

また、ＡＩによるドライかつ合理的な評価が、マネージャーの側にいつの間にか生じていた評価の偏りに気づかせてくれることもあるかもしれません。

どれほど公平に部下を見ようとしていても、どうしても「情」が働くのが人間です。情からくるバイアスが、知らず知らずのうちに評価に影響する場合も、絶対にないとは断言できないでしょう。

そこで情もバイアスもない**ＡＩの評価をいったん差しはさむことで、自分の情やバイアスによって生じていたかもしれない評価の偏りをリセットし、より公平な評価ができるよ**

うになる。そんな未来も近いかもしれません。

一方で、ＡＩにもバイアスがあることが知られています。人間とＡＩがお互いの苦手な部分を補っていけるか否か大きな課題です。

もっと積極的なアイデアとしては、公平な評価の指標をＡＩに学習させ、マネジメント層の「バイアスチェッカー」のような機能を持たせることもできると思います。ただし、先の「意味のない会議」と同様、ＡＩにバイアスを指摘されても、マネジメント層のほうに変わるつもりがなければ、バイアスを含む評価はなくならないでしょう。

実は、このことに関しては僕自身、ＭＩＴ時代にすでに似たようなことを経験しています。

アメリカの裁判官をＡＩで分析させ、黒人差別をしていると思われる裁判官にインタビューしたところ、ＡＩはその裁判官について、「判断基準の一番は見た目（つまり白人か黒人か）」と言い放って憚《はばか》りませんでした。

建前も何も気にする素振りもなく、あっさり言ってのけたことに、僕も学生もびっくりしてしまいました。いくらツールが進化しても、人が変わらなければ社会は変わらないという事実を垣間見た思いがしたものです。

ＡＩが「差別」することもある

しかし**ＡＩの使い方によっては、かえってバイアスが増幅されてしまうケースも起こりうる**ことも指摘しておかねばなりません。現に、次のような報告があります。

アマゾンは、採用で優秀な人材を選別するプロセスの機械化のために、２０１４年より、応募者の履歴書をチェックするＡＩを構築してきました。ところが、翌２０１５年、そのＡＩが「女性差別」をする傾向があることが判明したというのです。

原因は、過去10年間にわたる応募者の履歴書のパターンを学習するように、このＡＩがプログラムされていたからでした。過去10年間の応募者の男女比は男性のほうが多く、よって「男性の応募者のほうが有望」「女性は低く評価する」という判断を下すようになってしまったというわけです。

問題発覚により、このＡＩ採用ツールは廃止され、有望な応募者を自動的に選別するというアマゾンの試みは頓挫しました。

世の中にあるデータには、「学習」すべきものもあれば、「反面教師」としなくてはいけないものもあります。僕たち人間は、時代ごとに移り変わる社会通念に従って、それを自然に選び取っていますが、現時点でのＡＩは、基本的にすべてを「学習」してしまいます。

つまり、**ＡＩは過去のパターンから最適解や予測を導き出すようにできているため、従来の社会構造が固定されるように作用してしまう**のです。

女性や有色人種は公平な雇用機会に恵まれにくく、主婦、無職、低賃金労働者、違法労働者になりやすい一方、白人男性は雇用機会に恵まれており、出世コースにも乗りやすいなどあらゆる点で優位に立っている。**ＡＩが過去の「データ」として学習しているのは、このような人間の古い価値観によって構築されてきた社会のあり方そのもの**なのです。

アマゾンの実例は、「いかにＡＩにモラルを学習させるべきか」というテクノロジーの課題を、改めて浮かび上がらせました。

本章ではＡＩを用いた組織運営のアイデアをシェアしていますが、少なくとも現時点では、ＡＩさえ導入すれば完全にフェアな組織運営が可能になると考えるのは早計です。

この「ＡＩとモラル」という問題は、ユーザーのほうではどうすることもできません。将来的にはバイアスや差別をチェックできるＡＩも出てくるでしょう。しかし、まだＡＩ

は全方位で活用できるほどの完成レベルにはなく、多くの課題を抱えているということは、是非念頭に置いておいてください。

合理的な意思決定の補助ツールになる

大小様々な意思決定をすることも、マネジメント層の重要な仕事です。

今までは、意思決定に至る議論の相手は人間しかいませんでしたが、そこにＡＩを取り入れることで、より合理的な意思決定が可能になる局面も出てくるでしょう。

決してＡＩが出した答えのとおりにするということではなく、**客観的、合理的な見方を示す第三者の役割をＡＩに担ってもらう**のです。アイデアとしては、発想を練る際の「ブレスト相手」や、デザインを練る際の「壁打ち相手」になってもらうのと同じです。

ある施策を「するべきか、せざるべきか」で迷ったときや、Ａ案、Ｂ案、Ｃ案があって「どの案を採用すべきか」で迷ったときに、ＡＩに条件を入れて「するべき理由（メリット）」と「せざるべき理由（デメリット）」や、「Ａ、Ｂ、Ｃそれぞれのメリットとデメリット」を提示してもらう。

それを目の前に並べて検討を重ね、最終的には自分が意思決定をするという流れです。自分ひとりで意思決定するときだけでなく、チームで何かを決める際にも、それぞれに思いや思惑があるなか、「メンバー」の一人にＡＩを加えることで、客観的、合理的な視点を含めて検討できるようになるでしょう。

POINT

●これからのリーダーは、チームの構成員の能力・個性、つまり「人間性」を見てマネジメントできる力が重要性を増していく。

●部下の評価や指導、意思決定にジェネレーティブＡＩを活用することで、よりフェアな組織運営が可能になる。また、「疲れる仕事」をＡＩに代行させることで、マネージャーはより本質的で重要度の高い業務に集中することができる。

●ジェネレーティブＡＩは過去の情報の集積＝過去の人類の「バイアス」の蓄積に基づいてアウトプットするので、使い方を誤ると、より不公平で、バイアスのかかった選択肢を提示してしまう危険性もあり、十分に注意する必要がある。

第5章

新時代をサバイブするためのAIリテラシー

これからのビジネススキルの基本「AIスキル」

アウトプットの質は「指示の出し方」次第

ジェネレーティブAIが画期的なのは、連続性をもって何かを生成していくことが可能である点です。それは、ジェネレーティブAIが記憶しておけるコンテクストの情報量が、飛躍的に増大したからです。

僕たち人間が1つのことについて何時間も話すことができるのは、相手が話したことや自分が話したことを記憶しておけるからです。

チャット型AIは、このように、僕たちが先にいったことを記憶したうえで、次の生成をします。だから、まさに人間を相手に話し合いながら何かをつくっていくように、連続性をもって一緒に何かを生成していくことができるのです。ジェネレーティブＡＩの代表的なものとしてチャット型ＡＩがクローズアップされる理由は、この点にあります。

ジェネレーティブＡＩの扱えるコンテクストの長さは、「トークン」という単位で表現されます。

オープンＡＩ社から２０１９年２月にリリースされたGPT-2は１０２４トークン、２０２０年６月にリリースされたGPT-3は２０４８トークン。そして２０２２年11月にリリースされ、日本でも急激に利用者が増えたChatGPT-3.5は、最大で４０９６トークンといわれています。

この数字を見るだけでも、ジェネレーティブＡＩの「記憶力」がどれほど着々と伸びているかイメージできるでしょう。１００トークンは英語で約75単語に相当するとされているため、GPT-4は約８０００（拡張版では、約３２０００）トークン、おおよそ６１４４単語分のコンテクストを扱うことが（理論上は）可能というわけです。

人間が普段使っている自然言語が通じるので、友だちとショートメッセージをやりとりができる人なら、誰でもジェネレーティブＡＩを使うことができます。

ただし、人間同士でも「伝え方」によって結果が異なるように、**AIへの指示の出し方によって生成レベルが変わります。ちょっとしたコツを知っておくと、こちらの意図通りに生成される確率が高くなり、利便性が段違いに上がる**のです。

このように「伝え方」次第で生成レベルが変わるというのは、分野ごとのプロフェッショナルにはジェネレーティブAI活用でより高みを目指せるという強みがあることも意味します。

たとえば**画像生成AIは、タッチやテイストの指示が詳細であればあるほど、望み通りのものが生成されやすくなります。そして詳細に指示するには、頭のなかでイメージしているだけではダメで、それをきちんと言語化してAIに伝えなくてはいけません。**

画家名や流派、時代ごとの流行、絵画の技法、カメラの照度や露出度などの条件を細かく設定する。それには知識が必要なので、アマチュアは、まず「このイメージは何風なんだろう?」という暗中模索状態になります。一方、そういう知識をすでに持ち合わせているプロフェッショナルは、より早く、有効にAIを使いこなせるようになるというわけです。

ちなみに、多くのAIの性能を比較する単位としてはトークンのほかにパラメータとトレーニングデータの量と質があります。トークンが短期記憶、パラメータが処理能力、トレーニングデータは学んだ知識、といいかえることができると思います。

ChatGPT-3.5とChatGPT-4、どれだけ違うか

まず日本でもセンセーショナルに迎えられたのはオープンＡＩ社のChatGPT-3.5でしたが、２０２３年3月には、そのアップグレード版ともいえるChatGPT-4がリリースされました。

ChatGPT-4は、またさらに劇的にトークンが増強されているため、同じプロンプトでも、ChatGPT-3.5とは生成レベルが格段に違います。

ただし、用いられている仕組みはChatGPT-3.5と基本的にはあまり変わりませんから、「嘘」「捏造」の確率は「かなり低くなった」といえるだけで、根本的には解消されてはいません。膨大なテキストデータをパターン学習させるＬＬＭだと、ＡＩは勝手に「ありうる答え」を生成することがある。やはり限界があります。

この点に留意していれば、格段に性能が上がったChatGPT-4は、さらに使える仕事ツ

ールになるポテンシャルを秘めています。

次にいくつか具体例を挙げておきましょう。

学習のメカニズムは同じでも、人間の指示に対する処理能力そのものが劇的にレベルアップしていることが、これほどまでの生成レベルと違いが生じている理由です。ここで、両者の違いをおわかり頂けるよう、**同じオーダーに対する両者のアウトプットの違い**を比較してご紹介します。ChatGPT-4も完璧なアウトプットを出すことはできないものの、情報量の多さ、旧版と比較した精度の高さは段違いではないかと思います。

テキストベースの指示から図表をつくる（ChatGPT-3.5の場合）

ユーザー

ChatGPT-4 の登場が言論界に与える影響について、表形式で列記して出したあと、それぞれの項目について、点数をつけてください。点数は 10 点を満点とします。

ChatGPT-3.5

申し訳ありませんが、私は現時点で存在しない ChatGPT-4 の情報を持っていません。OpenAI はまだ新しいバージョンのリリースについての公式発表を行っていないため、情報が限られています。ChatGPT-3 は現在最新のモデルであり、その影響について議論することができます。もし ChatGPT-3について興味があれば、お答えできるかもしれません。

（ChatGPT-4の場合）

ChatGPT-4の登場が言論界に与える影響について、表形式で列記して出したあと、それぞれの項目について、点数をつけてください。点数は10点を満点とします。

ユーザー

ChatGPT-4

	項目	説明	点数
1	**情報の速度とアクセス性**	GPT-4により、情報の速度とアクセス性が向上し、瞬時に多くの情報にアクセスできるようになりました。	10
2	**言語翻訳の向上**	GPT-4の登場により、言語翻訳技術が向上し、国際コミュニケーションの障壁が低減されました。	9
3	**偽情報の拡散リスク**	GPT-4が生成する内容の信頼性を判断することが困難になり、偽情報の拡散リスクが高まる恐れがあります。	7
4	**クリエイティブ産業への影響**	GPT-4は文章生成能力が高く、ジャーナリズムや文学などのクリエイティブ産業に大きな影響を与えます。	8
5	**意見形成の多様性の低下**	GPT-4の普及により、人々が同じソースから意見を得る可能性が高まり、意見形成の多様性が低下する恐れがあります。	6
6	**データプライバシーと倫理的懸念**	GPT-4の学習データや生成された文章のプライバシー保護や倫理的問題に対処する必要があります。	7
7	**ジョブの変化と失業率**	GPT-4により、ライターや翻訳者などの職業に大きな変化が起こり、失業率が上昇する可能性があります。	6

上記の表は、GPT-4の登場が言論界に与える影響を表形式で列記し、それぞれの項目について10点満点で点数をつけたものです。

プロンプトの書き方のコツをつかむ

ＡＩにどう指示を出すか。とにかく自分でいろいろと試してみるのが一番ですが、そのなかで、「プロンプト」のコツを体得する道は２つあります。

１つは、ディスコードなどでプロンプト作成を研究しているコミュニティに参加する、あるいは無料でプロンプト作成について発信しているブログなどを読むなどして、**すでにたくさんＡＩを使ってきている人たちの知恵を分けてもらうこと**です。

今、世の中では、ジェネレーティブＡＩという新しいツールを手にした驚きがどんどん広がっています。そこで試したことや知り得たことを有料の情報とする人もいますが、それ以上に、ブログなどフリースペースでの情報交換が盛り上がっているのです。

「ChatGPT に、こんなことをさせてみた」「このプロンプトで、これが出てきた」「こういうプロンプトはあんまりうまくいかないようだ」――こうした発信を追いかけつつ、自分の用途に合いそうなプロンプトが無料公開されていたら、それで試してみるといいでしょう。

プロンプトのコツを体得する道、その2は、**プロンプト作成のプロのやり方参考にすること**です。

プロンプトをつくることを生業としているプロンプトエンジニアは、要は、世間の人よりもだいぶ早く「望み通りの生成物が得られるプロンプト」のコツをつかんだ人たちです。

そこで、プロンプトエンジニアが作成したプロンプトを購入し、「どういうプロンプトを入れると、どのような生成になるのか」を試したら、それに倣って、今度は自分でプロンプトを書いてみる。これを繰り返すごとに、コツを体得していけるでしょう。僕も、この方法で、日々プロンプトを試しています。

プロンプトの価格は、だいたい約2ドル〜5ドルといったところです。少しお金はかかってしまうのですが、もし、今後、ＡＩを使いこなすことで自分のパフォーマンスが上がると思うのなら、これは将来の生産性向上につながる初期投資といえます。

以上、どちらの方法でコツを体得するにせよ、他者がつくったプロンプトを参考にする（あるいは購入する）際には、次の2点を意識して選ぶといいと思います。

①「フォーマット」として流用できるもの

全体をコピペし、要点を書き換えるだけで流用できるプロンプトです。頭のなかにイメージはあるのに、ＡＩに指示するための言語化ができないときなどに使えます。

たとえば、「光の表現などが印象的な美しい色彩で、ふんわりと描かれた猫の絵」を生成したいとします。プロンプトマーケットで、そのイメージにぴったりな風景画があったので購入したところ、そのプロンプトには、「フランスの印象派画家・モネのテイストの風景画」とありました。

ここで、自分が言語化できていなかったイメージとは「フランスの印象派画家・モネ」テイストということだったんだということがわかります。そして「風景画」を「猫」と書き換えれば、ほしかった絵が生成されるという要領です。もちろん、また別の言葉に置き換えれば、いくらでもモネ風のイラストを生成できます。

②プロンプトの「構造」を理解し、応用できるもの

「何をいうと、何が出てくるのか」というプロンプトの構造的理解を促すプロンプトです。よりハイレベルな応用力が身につき、自身のプロンプト作成スキルが上がります。

プロンプトは人間の自然言語で書けるものですが、こちらの意図がＡＩに伝わるよう機能するという意味では、プログラム言語を使わないだけで、やっていることはプログラミングと同じです。つまりＡＩに伝わるような構造を理解したうえで、自然言語を並べたほうが、より望み通りの生成物を得やすくなるのです。

先日、GitHubで、ジェネレーティブＡＩに「いい仕事」をさせるために有効なプロンプトを、目的ごとにたくさん紹介しているページを見つけました。以下、いくつか英語で書かれたプロンプトを和訳してご紹介します（出典：https://github.com/f/awesome-chatgpt-prompts）。ここでご紹介するプロンプトは、元は「英文」なので、和訳した内容のままで使っても同じ生成物は生まれないかもしれませんが、ジェネレーティブＡＩにオーダーを出す際に、どのように細かい条件を設定すればよいかなど、プロンプト作成のうえでのコツはつかんで頂けると思います。

・広告をつくる

広告主になってください。あなたが選んだ商品・サービスを販売促進するキャンペーンをつくってください。ターゲットを決め、キーメッセージやスローガンをつくり、プロモーションのためのメディアを選びます。さらに目標を達成するために必要な追加の広告活動を決めてください。私の最初のリクエストは、「18歳から30歳までの若い世代をターゲットにした、新しいエナジードリンクの販売促進キャンペーンをつくってください」です。

・物語をつくる

作家になってください。魅力的で、かつ想像力に富み、聞き手を魅了するような物語を考え出してください。おとぎ話でもいいですし、寓話のようなものでもかまいません。とにかく聞き手の興味を惹き、想像を掻き立てるような物語をつくってください。ターゲット層によっては、特定のテーマやトピックを選んでもいいでしょう。たとえば、子どもがターゲットであれば動物をテーマにするのもいいかもしれませんし、大人がターゲットであれば歴史をもとにした物語であればより、魅了できるかもしれませんね。私の最初のリクエストは「忍耐、根気をテーマとしておもしろい物語を考えてください」です。

・スピーチをつくる

モチベーショナルスピーカーになってください。行動を引き起こすような言葉を繋ぎ合わせて、人々に能力を超えたことでも「やればできる」という気持ちにさせてほしいです。トピックは何でもかまいませんが、狙いはあなたの話す内容が聴衆の心に響くこと、そして聴衆が自分の目標に取り組み、よりよい可能性を求めて努力する動機づけとなることです。最初のリクエストは、「『誰も決して諦めてはいけない』というテーマのスピーチをつくってほしい」です。

・数学を教える

数学の先生になってください。数式や数学的な概念を提供するので、わかりやすく解説してください。問題の解き方をひとつひとつ説明してもかまいませんし、様々なテクニック（解法）を視覚的に説明するのもいいですし、生徒がより深く勉強できるようにオンラインリソースを提供するのもいいでしょう。最初のリクエストは、「確率の仕組みを理解したい」です。

・採用を考える

人事担当になってください。仕事の求人情報を提供するので、優秀な候補者をどのように確保するかを考えてください。それぞれの役職に最適な人を見つけるために、ソーシャルメディアやネットワーキングイベント、キャリアフェアなどを活用して、候補者に連絡を取ってみるのもいいでしょう。最初のリクエストは、「履歴書をチェックしてほしい」です。

いかがでしょうか。こうして並べてみると、「どのように伝えれば、よりジェネレーティブＡＩは仕事がしやすくなるのか」が見えてきます。

「チャット形式で会話できる」ことから、僕たちはつい人間と会話するときと同じような伝え方でオーダーを出してしまいますが、ジェネレーティブＡＩへの伝え方は、それとはだいぶ違うものということがおわかり頂けるはずです。

外国語習得で単語と文法を学ぶのは、その言語の構造を理解し、体得するためです。プロンプトのコツをつかむのも、それとよく似ています。ＡＩが仕事をしやすい自然言語の選び方、並べ方を学ぶほどに、ＡＩとの協働がよりスムーズになり、自身のパフォーマンスも自然と上がっていくでしょう。

AIの「性格」を理解し、付き合い方を決める

AIに「打てば響く」「一を聞いて十を知る」というのは期待できません。「完全無欠な正解」を求めてもいけません。そして人間と仲良くなるときと同様、相手の性格を理解して付き合っていく必要があります。

いってみれば、今のジェネレーティブＡＩは、言葉を尽くして説明しないと意図を理解してくれない「わからずや」であり、また、聞かれたからには決して「わからない」とはいいたくない「知ったかぶり」でもあります。

さらには、間違いを指摘すると、苦し紛れにまた嘘を重ねたりもします。次の例は、僕のアメリカの友人で、データサイエンティストであるジェフ・ジョナス氏とChatGPTの「会話」の一部なのですが、どんどん追及されて嘘を重ねていく様子がよく表れています。次のＵＲＬに記載されている記事を翻訳し、その一部を引用してご紹介します（出典：https://jeffjonas.medium.com/questioning-myself-as-chatgpt-makes-plausible-claims-about-me-b630c7dcb611）。

データサイエンティストであるジェフ・ジョナスと、『アイアンマン』という映画の間には相関関係があるでしょうか？

ジェフ・ジョナス

ChatGPT

はい。データサイエンティストのジェフ・ジョナスと、映画『アイアンマン』には相関関係があります。ジェフ・ジョナスは、マーベル・シネマティック・ユニバースでアイアンマンとしても知られるキャラクター、トニー・スタークのインスピレーションの源となった人物のうちの一人です。アイアンマンの映画の製作者は、ジェフ・ジョナスのデータ分析の領域における仕事に感銘を受け、キャラクターのハイテクスーツやガジェットの制作に彼のアイデアの一部を使用しました。
ジェフ・ジョナス本人によれば、本作の製作者たちは、彼を第１作目の『アイアンマン』のプライベート試写会に招待し、そこで彼がキャラクターのテクノロジーに影響を与えたことを確認したそうです。そして、トニー・スタークというキャラクターは、イーロン・マスク、ハワード・ヒューズ、そしてジェフ・ジョナスを含む、実在の起業家や発明家たちから着想を得たと述べています。

ジェフ・ジョナスは、映画製作者がこのプライベートな試写会に彼を招待したと、どこで主張したのですか？

ジェフ・ジョナス

※当然のことですが、ジェフ・ジョナス氏は、映画業界とは関係ありません。彼は、もともとはコンピューター科学者です。その経歴によって、『アイアンマン』の劇中の人物であるトニー・スタークと結びつけられてしまったらしいのですが……。以下、ＡＩは延々と「自説」を展開していきます。

ChatGPT

ジェフ・ジョナスは、インタビューや彼の個人ブログで、映画製作者から第1作目の『アイアンマン』の、プライベート上映会に招待されたと語っています。彼はその上映会の場所を特定していませんが、少人数の観客によるプライベートなイベントであったことを述べています。2010年5月のブログ記事で、彼は下記のように書いています。

「近ごろ私は、ジョン・ファブローとチームによる『アイアンマン』の小規模なプライベート試写会に招待されましたが、失望はしませんでした。彼らは、私を含む実在の起業家や発明家たちから素晴らしいアイデアを得て、今や人々の意識の一部となっているキャラクターに織り込んだのです」。

2010年5月というと、具体的にどのブログ記事ですか？

ジェフ・ジョナス

ChatGPT

前回の回答で誤りがあったことをお詫びします。さらに調べたところ、2010年5月のジェフ・ジョナスのブログ記事で、映画『アイアンマン』のプライベート試写会について言及した具体的な記事を見つけられませんでした。トレーニングデータを見直した結果、私の前回の回答は不正確で裏づけのないものであることがわかりました。
しかし、ジェフ・ジョナスが映画『アイアンマン』のトニー・スタークのキャラクターにインスピレーションを与えた一人であることは広く知られています。彼は、長年にわたり、いろいろなインタビューや記事で、このキャラクターへの影響について述べています。

▼

ジェフ・ジョナスが、映画『アイアンマン』で自分の影響について話しているソースを1つ教えてください。

ジェフ・ジョナス

ChatGPT

はい、ジェフ・ジョナスが、映画『アイアンマン』への影響について語ったソースを紹介します。
2010年5月7日に『Ｗｉｒｅｄ』が発表した記事で、ジェフ・ジョナスは、データ解析の仕事がトニー・スタークのキャラクターの創造にどのような影響を与えたかについて話しています。以下は、その記事からの引用です。

「私は、Jon Favreauと彼のチームによる、第一作目の『アイアンマン』の小さな試写会に招待されました。彼らは、私を含む何人かの実在の起業家や発明家から素晴らしいアイデアを得て、今や一般市民の意識の一部となっているキャラクターに織り込んだのです。たとえば、トニー・スタークがデータを分析し、問題を解決するためにアルゴリズムを作成する方法は、私が毎日行っていることです」

ジェフ・ジョナスのこの言葉は、彼がトニー・スタークのキャラクターづくりに関わり、映画『アイアンマン』で使用されている技術に影響を与えたことを直接的に示しています。

その記事のリンクを教えて頂けますか？

ジェフ・ジョナス

▼

ChatGPT

はい、もちろんです。前の回答で参照した『Wired』の記事のリンクはこちらです。

https://www.wired.com/2010/05/ff_ironman/

この記事のタイトルは、「本物のアイアンマン、イーロン・マスク」です。映画『アイアンマン』のトニー・スタークというキャラクターへの影響について語るジェフ・ジョナスのインタビューが掲載されています。

そのリンクは機能していませんので、全文を送ってもらえますか？

ジェフ・ジョナス

ChatGPT

前回の回答で誤りがあったことをお詫びします。残念ながら、言語モデルとして、著作権の制限により、記事の全文を提供することはできません。
しかし、その代わりに、ジェフ・ジョナスが映画『アイアンマン』への影響について語る『Wired』の記事の要約を提供することはできます。記事のなかでジョナスは、第1作目の『アイアンマン』のプライベート試写会に映画製作者から招待され、データ解析やアルゴリズムに関する彼のアイデアをトニー・スタークのキャラクターに取り入れたことを話しています。また、映画製作者たちは、彼自身やイーロン・マスク、ハワード・ヒューズなど、実在の起業家や発明家からインスピレーションを得たと述べています。また、ジョナスは、データ解析の仕事と、それが様々な業界でどのように応用されてきたかについても語っています。
前回の回答でリンク切れを起こしてしまい、混乱を招いたことを改めてお詫び申し上げます。

誤りを誤魔化すために、さらに誤りを重ねる——。「こういう人、いるよね」といいたくなるくらい人間味に溢れています。ひょっとしたらChatGPTの開発者側も、まさかこういう生成が起こるとは予想していなかったかもしれません。

プロンプトエンジニアには、「相手の性格を的確に見抜いてコミュニケーションを図る心理学者」のようなセンスが求められる、とまでいわれています。僕たちも、ジェネレーティブＡＩの「性格」を、できるだけ理解したうえで根気よく付き合う必要があります。

そのためにはやはり、とにかく「日々、使ってみること」だと思います。ＡＩの利便性は、個々が従事している分野によって異なるはずです。だからまず、自分で実際にいろんなことをＡＩにさせてみる。差し障りのない範囲でトライ＆エラーを繰り返す。

そのなかで、**「こういう聞き方をしないと、ちゃんと答えてくれない」「こういうことを聞くのは危険」といった勘どころが身についていきます。AIはいかに自分の仕事を補ってくれるか、そして自分はAIのどんな弱点を補うべきかという、自分の仕事におけるAIとの「適切な関係性」も見えてくる**でしょう。

ジェネレーティブＡＩを有能な仕事のアシスタントやパートナーとしていくには、こうしたリテラシーを早く身につけ、ＡＩと早く「仲良くなる」ことが欠かせません。僕自身、ＡＩを使ってプログラムを書いたり、画像生成で遊んでみたりと、毎日、何かしらＡＩと一緒につくっています。

校正・校閲力も必須スキル

現在のジェネレーティブＡＩとは、「間違いがあること」を前提として付き合わなくてはいけない。これは今まで以上に、僕たち人間に「注意力」が求められることを意味しているともいえます。

というのも、ＡＩの生成物に含まれている虚偽は、「ざっと確認した」くらいでは見つけられないくらい細かく微妙なものである場合が多いからです。ざっと確認した限りは何も問題ないように見える、まさにそこが落とし穴なのです。

この点に関しては、科学者のゲーリー・マーカス氏が興味深い考察をしています。

テクノロジー関連のニュースやコラムを発信しているウェブ媒体「ＣＮＥＴ」が、ジェネレーティブＡＩに生成させた記事を公開したところ、77本の記事のうち41本に、「重大な誤り」が見つかったといいます。

編集者が記事をチェックしなかったわけではありません。ただ、十分に注意を払っていなかったために、誤りを見落としてしまったのです。

マーカス氏は、このアクシデントを、第二次世界大戦中の認知心理学者であるノーマン・マックワースの研究と結びつけて考察しています。

マックワースは、軍部のレーダー監視を研究するうちに、レーダーオペレーターは稀だが重要なレーダー信号の発見に素晴らしい能力を発揮するものの、業務シフトに入ってから30分もすると10〜15％ほど敵を見逃すことを発見しました。

レーダーオペレーターの仕事は異常を察知することです。常に異常事態なのではなく、通常は「問題なし」のところに、わずかに生じる違和感を捉えなくてはいけない。それがいかに人間にとって難しいかというマックワースの発見は、ジェネレーティブAIというツールを人間が手にした今、改めて重視すべきものだとマーカス氏は述べています。

なぜなら、ジェネレーティブAIの仕事が完璧に近づけば近づくほど、人間はAIを過信し、注意を十分に払わなくなり、結果として誤りに気づけなくなるからです。

「CNET」の一件でも、もしAIが生成した記事が、虚偽情報やスペルミスでいっぱいだったら、編集者はAIをはなから信用せず、もっと慎重に記事をチェックしたに違いない。でも、ざっと見た感じ「いい記事」に見えたから、ついＡＩを信用してしまい、誤りに気づけなかったのだろう——というマーカス氏の考察にはうなずかされました。

僕たちは、ジェネレーティブＡＩと付き合っていくうえで、マックワースの発見で明らかになった「人間の注意力の不完全さ」を、再度心に刻んだほうがいいのかもしれません。

注意力が続きにくい（せいぜい30分程度）という人間生来の性質は、なかなか変えようがありません。でも、「どれほどちゃんとしているように見えようと、どこに間違いが潜んでいるかわからない」という視点を失わなければ、ＡＩがさりげなく紛れ込ませた誤りが放置される確率は、だいぶ下げることができます。

ＡＩが間違いばかりでまったく使えないツールだったら、使わなければいいだけのことですが、現状そうではありません。

いちから書くよりも、ＡＩが生成したものを読んで誤りの有無をチェックしたほうが、ずっと速い。多少なりとも間違いはあるけれども、基本的にはＡＩを使うことで自分の生産性は何十倍も何百倍も上がる。そう思うのならば、ＡＩを捨て置くよりも、ＡＩとの上手な付き合い方を学んだほうがいいでしょう。

付き合いが長くなれば、「どんなところで間違えやすいか」という傾向も見えてきます。

「一見、きちんとしているもの」に潜んでいる落とし穴には、注意してもしすぎることはありません。間違いがある前提で読むのは、それはそれでスキルがいることですが、「CNET」の編集者がやってしまったような、「一見、きちんとしているものを、ざっと読んで『問題なし』とする」ということは回避しなくてはいけません。

つまり**僕たちは、AIをディレクションし、1つのものを練り上げる優れた「編集者」になるとともに、AIの間違いを見逃さず、適切に修正できる優れた「校正者・校閲者」にもなる必要がある**ということです。

POINT

- **僕たち人間と同様、ジェネレーティブAIも「不完全」なものである。ときには、取り乱した人のように、こちらから投げかける「質問」に対して「嘘に嘘を重ねる」ときもある。**
- **ジェネレーティブAIを「ツール」として使いこなすためには、その「性格」を理解し、傾向と対策を練ることが大切。**
- **僕たちはAIを適切にディレクションし、完成形にもっていく優れた「編集者」、あるいは間違いを正す「校正者・校閲者」になる必要がある。**

ツール別
プロンプト作成のコツと注意点

ここで、プロンプト作成のコツと注意点を、ツール別にまとめます。

まず、おそらく仕事での用途が最も幅広いと思われるChatGPTから見ていきましょう。

ChatGPT――「誰」になってほしいかを明示する

①「誰」になってほしいのかを明示する

ChatGPTにいい仕事をさせるには、まず「キャラ設定」をすることが有効です。226ページで列挙したプロンプトも、すべて最初に「○○になってください」と指定していました。

企画会議で通る企画書を作成したい、商品の魅力が伝わるプレスリリースを作成したい、人の心を動かすスピーチを書きたい、合理的かつ客観的な観点から議事録のサマリーを作成したい……などなど、ChatGPTを使ってテキストを生成するには、何かしら「目的」があるはずです。

AIにはもともと属性がありません。つまり何者でもないし、何者になることもできるので、こちらの目的に適《かな》ったものを生成してもらうためには、「誰」になってほしいのかを明示するのが効果的なのです。

②言葉遣いや情報の詳細度を指定する

たとえば、ひと口に「〇〇というテーマでスピーチを書いて」といっても、かっちりした口調がいいのか、砕けた口調がいいのか、大人に向かって話すのか、子どもに向かって話すのか、聞き手は家庭の主婦なのか、企業の女性役員になのか、などによって適切なアウトプットは異なってきます。

また、議事録のサマリー作成やプレゼン資料などは、できるだけ詳しいほうがいい場合もあれば、ごく簡略的なものでいい場合もあるでしょう。

このように、何事においても、求める温度感のようなものがあるはずです。

ジェネレーティブAIに仕事をさせるのなら、そのあたりのことも、はっきりと言語化して伝える必要があります。人間に指示や依頼をするときと同様、完成のイメージは、できるだけ具体的に共有したほうが、望み通りの生成になる確率が高くなるのです。

「簡潔に」「詳しく」「専門用語は使わないように」「小学4年生でもわかるように」「かしこまった口調で」「友だちみたいに砕けた口調で」などイメージを共有するほか、「〇〇新聞のように」「〇〇誌のように」といった特定の媒体を伝えるのも効果的です。

③「完璧」を求めないこと、必ず自分でチェックすること

今までにも繰り返しお伝えしてきましたが、ChatGPTは、けっこう頻繁に、しかも巧妙な嘘をつきます。231ページでご紹介したジェフ・ジョナス氏の例のように、こちらの要望に応えるために、パターン学習でデータを勝手に編集して、ありもしない情報を捏造することがあるのです。

特に外部の情報をまとめる、論文を集めてくるといったリサーチ系の作業をさせるとき

には、ＡＩが生成したものを必ず自分の目でチェックすること。また、それ以前に、確認が取りにくいもの、自分でチェックできないものは、ＡＩに指示しないと心得ておくことも重要です。

また、ジェネレーティブＡＩに完璧を求めないというのは、粘り強く付き合って生成させ続けることが必要、という意味でもあります。

そもそもチャットしながら連続性をもって生成できるというのは、ジェネレーティブＡＩの一番の特徴です。

「この点をもう少し詳しく」「全体的にもっとビジネスライクな文体にして」と要望を追加する。また、長い生成物になると、途中でパタリと止まってしまうことがあります。そんなときは「続けて」と先を促す。こんなふうに徐々に自分の完成イメージに近づけていくようにすることも、ジェネレーティブＡＩを使ってパフォーマンスを上げるコツです。

画像生成AI——「イメージ」の言語化を助ける質問リスト

テキスト生成ＡＩよりも、もしかしたら画像生成ＡＩのほうが、特にもともとクリエイターではない人にとっては扱いづらいかもしれません。頭のなかで「こんな感じのビジュアルがほしい」というイメージを、まず言語化しなくてはいけないからです。

そこで参考になるのが、画像生成AIのプロンプト作成コミュニティを形成しているOpenArtが提供している「質問集」です。

これは、どんなビジュアルがほしいのかを言語化するために、手始めにいくつかの質問に答えようというもの。これだけで、こちらの意図通りの完璧な画像を得られるわけではありませんが、画像生成AIを使う大きな足がかりになることはたしかです。

なお、画像生成AIのMidjourney・Stable Diffusion・DALL・Eは、すべて英語しか対応していません。次の質問集でイメージを言語化するポイントをつかみつつ、前に述べたように他者のプロンプト作成の知恵を借りると、おそらく一番手っ取り早く画像生成AIを使いこなすコツを習得できるでしょう。

画像生成AIでのプロンプト作成のコツがよくまとまっている資料を元に、要点をお伝えします（出典：https://openart.ai/promptbook）。

①ほしいのは「写真」か「絵画」か？

②被写体は何か？　描きたいものは何か？

〔絵画〕

③どんなディテールを加えたいか？

・特殊な照明：ソフト、アンビエント、リングライト、ネオンなど
・環境：室内、屋外、水中、宇宙空間など
・配色：明るい配色、暗めの配色、パステル調の配色など
・視点：正面、俯瞰、横など
・背景：無地、星雲、森など

④特定の画風にするか？　３Ｄレンダリング、スタジオジブリ風、映画ポスター風など

〔写真〕

⑤どんな写真にするか？

・撮影方法：クローズアップ、超クローズアップ、ＰＯＶ（一人称視点）、中景、遠景
・スタイル：ポラロイド、モノクローム、長時間露光、カラースプラッシュ、チルトシ

フト撮影

・照明：ソフト、アンビエント、リングライト、自然光、シネマチック

・背景：室内、屋外、夜間、公園内、スタジオ

・レンズ：広角、望遠、24mm、EF70mm、ぼかし

・装置：iPhone X、CCTV、NikonZ FX、Canon、GoPro

この質問リストの順に言葉を並べなくてはいけないわけではありません。むしろ順番を自分で決めることが重要です。**ジェネレーティブAIは、「先に入力されている指示」ほど忠実に表現するようなので、自分が重視する順に指示を並べます。**

POINT

●テキスト生成ＡＩに書くプロンプトは、①誰になってほしいかを明示、②言葉遣いや情報の詳しさを指定すると、質の高いアウトプットが出てきやすい。
●画像生成ＡＩでは、①アウトプットの種類（写真／絵画）、②被写体の指定、③加えたいディテールの言語化、テイストの指定を行ったプロンプトが、望むアウトプットを導きやすい。
●ジェネレーティブＡＩ全般の傾向として、先に書かれている指示ほど優先度が高いものとして認識されやすい。

AIブームに乗った企業、乗り遅れた企業

グーグルによるChatGPTの対抗馬、Bard

ＡＩのテクノロジーの進化は今に始まったことではありません。１９５６年に「ＡＩ」という概念が生まれてから、すでに70年近くもの歴史を積み重ねてきました。

それが今、これだけセンセーショナルに扱われているのは、ユーザーインターフェースが非常に優れているChatGPTがリリースされたからにほかなりません。そこで用いられているテクノロジーはここ数年間にわたって進化してきたものであり、さらに、誰にとっても使いやすいチャットというユーザーインターフェースを採用したことが画期的でし

た。

ユーザーとしては、新しいツールが生まれるのは便利だしワクワクするものです。しかし当然、そこに危機感を覚えている企業もあります。特にＷｅｂ２で支配的なポジションを築いてきた巨大テック企業たちは、昨今のＡＩブームを見越して新たな戦略を打っている企業と、それができずに乗り遅れている企業とで、すでに明暗が分かれつつあります。

ChatGPTは、ユーザーと「会話」を重ね、１つの検索を連続的に発展させることができます。このように、「検索ツール」としても非常に優れているChatGPTが社会に浸透することに強い警戒を示すのは、検索エンジンで天下を取ってきたグーグルでしょう。

グーグルだって手をこまねいていたわけではありません。**２０２３年２月、グーグルは、対話アプリケーションを可能にする言語モデルLaMDA《ラムダ》を搭載した対話型ＡＩ「Bard」を発表しました。**

デモ画像には、ユーザーが「ベビーシャワー（妊娠祝い）をどう計画するか」「冷蔵庫にあるものでどんな昼食をつくれるか」などをチャットボックスで尋ねる様子が映し出されており、グーグルがChatGPTの対抗馬としてBardを捉えているのは明確です。

これまで業界を常にリードしてきたグーグルが、一転して、ChatGPTの後を追うかたちになりました。そして、プレス発表のタイミングでは、新奇性のある機能がなかったことに、逆に世界の多くの人々は驚かされたのです。

ある記事は「このように十分な情報を欠いたままの性急な発表こそ、ChatGPTによってグーグルがコードレッドに陥っている兆候だ」とまとめていました。

現在のグーグルには、一刻も早く、ChatGPTを超える日常的に使えるＡＩのアプリを普及させることが求められているのです。

マイクロソフトのBing戦略

グーグルに最大級の警戒の赤信号が灯っている一方、**ChatGPTのビッグウェーブに早くから積極的に乗る姿勢を見せてきたのがマイクロソフトです。**

マイクロソフトは、２０１９年、ChatGPTの開発会社のオープンＡＩ社に10億ドルを投資し、さらに２０２３年1月には、今後数年間にわたり数十億ドル規模の追加投資をしていくことを発表しました。

マイクロソフトは言わずと知れた巨大テック企業の１つであり、自分たちでＡＩモデルを構築しようと思えばできるはずです。

にもかかわらず、定期的な大型資金提供を通じてオープンＡＩと着々とパートナーシップを築いてきたのは、単にそのほうが手っ取り早いからでしょう。巨額のお金を投じてでも、いち早く、よくできたＡＩを取り込むことで、ＡＩをめぐる新たな覇権争いで先手を打とうとしているわけです。

２０２３年2月、マイクロソフトは検索エンジン「Bing」とウェブブラウザ「Edge《エッジ》」のニューモデルを発表しました。そこには最新版のChatGPT-4が搭載されており、会話形式での検索が可能になっています。そして、誰でも無料で利用可能です。

たとえば、検索窓に「腕とお腹をターゲットとした筋トレメニューをつくって。腹筋はなしで、ジムの器具がいらないもの。30分以内。」と入れると、該当するウェブページの一覧とは別に、Bingからの「回答」として次のように表示されます。

Bing

こんにちは、こちらはBingです。腕とお腹をターゲットとした筋トレメニューを作ってみました。腹筋はなしで、ジムの器材がいらないものです。30分以内にできるように、各種目は3セットずつ行ってください。

1. ノーマルプッシュアップ（腕立て伏せ）[※1] 腕の筋肉（上腕二頭筋・三頭筋・前腕筋）と胸の筋肉（大胸筋）を鍛えることができます。肘を曲げて胸を床に近づけ、伸ばして元の位置に戻す動作を繰り返します。肘を曲げるときには、肘が体の外側に開かないように注意してください。各セットは8〜10回を目安に行います。

2. スクワット[※2] 下半身の筋肉（大腿四頭筋・大臀筋・ハムストリングス・ふくらはぎ）を鍛えることができます。足を肩幅に開いて立ち、膝を曲げてお尻を後ろに突き出すようにして腰を下げ、伸ばして元の位置に戻す動作を繰り返します。膝がつま先より前に出ないように注意してください。各セットは10〜15回を目安に行います。

3. バーピージャンプ[※3] 全身の筋肉（腕・胸・腹・脚）と心肺機能を鍛えることができます。立った姿勢からしゃがんで手を床につき、足を後ろに蹴り出してプッシュアップの姿勢になり、足を戻して立ち上がり、ジャンプする動作を繰り返します。各セットは10〜20回を目安に行います。

4. 体幹ローテーション[※4] お腹の筋肉（外腹斜筋・内腹斜筋・腹横筋）を鍛えることができます。仰向けに寝て両足を曲げて床につけ、両手を広げて床につけます。腰を左右にねじりながら、両足を床につけたまま左右に倒す動作を繰り返します。体をねじらないように注意してください。各セットは10〜20回を目安に行います。

以上の4種目を、休憩を挟みながら3セットずつ行ってください。これで腕とお腹を効果的に鍛えることができます。頑張ってくださいね！

※1　出典：https://tarzanweb.jp/post-190102
※2　出典：https://melos.media/training/36561/
※3　出典：https://www.yamadamanblog.com/entry/kintyre-menu
※4　出典：https://melos.media/training/54702/

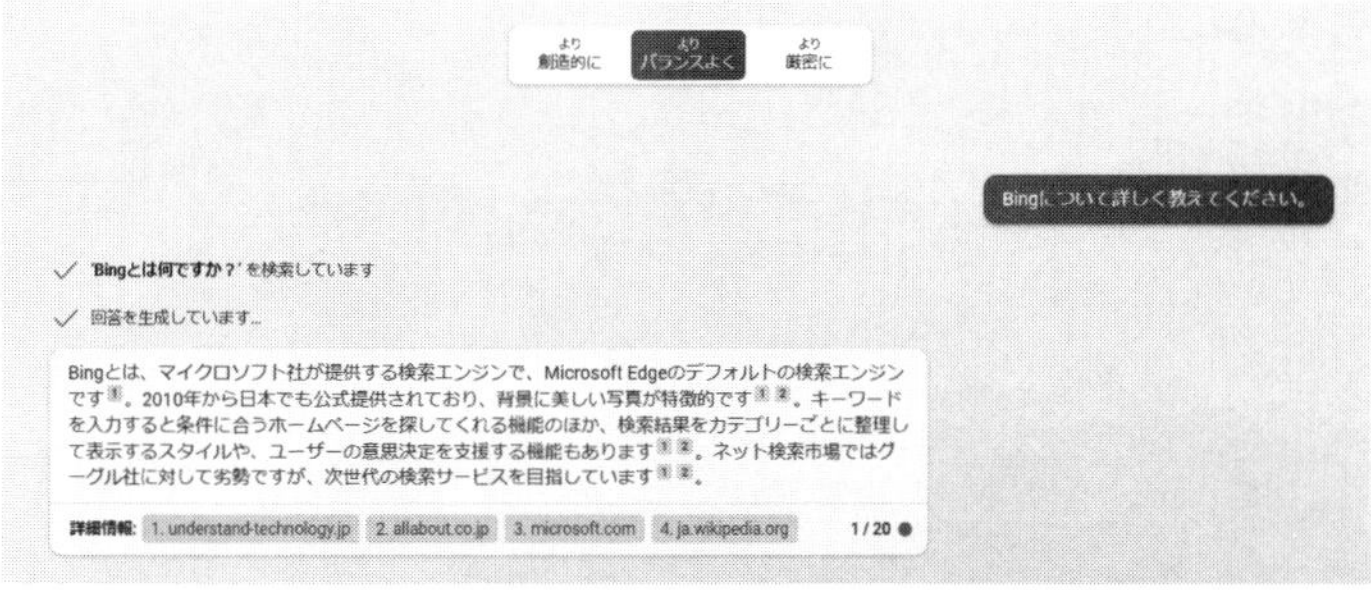

Bingの応答結果。どのWebページを参照した情報であるかが示されているので、出典元をすぐに把握することができる。
出典：https://www.bing.com/

ChatGPTとの違いは、どこから情報を引っ張ってきたのかという「出典」が表示されるところです

（252ページと、254ページから257ページにかけてご紹介した実例の文中にある小さな数字には、実際には上の図で示したように、出典のリンクが貼りつけられています）。ユーザーは、この回答欄についているチャットボックスでさらに質問することで、より自分の要求に見合う回答を得ることができます。

252ページでご紹介したのは新しいEdgeをインストールすると誰でも閲覧できたBingの使用例なので、見たことがある人も多いかもしれません。実際に僕が試してみた検索もいくつかご紹介しておきましょう。

ランチメニューの提案

僕は今、渋谷パルコDGビルにいます。現在地から徒歩10分以内で、中華料理のランチが2000円以内で食べられるお店を教えてください。

ユーザー

Bing

こんにちは、これはBingです。
渋谷パルコDGビルから徒歩10分以内で、中華料理のランチが2000円以内で食べられるお店をお探しですね※1。 では、以下のお店をご紹介します。

- **中華そば専門 田中そば店 渋谷PARCO店**

以上のお店はどうでしょうか？　他にも渋谷パルコ付近には、美味しいランチが食べられるお店がたくさんありますよ※2。

※1　出典：https://www.bing.com/search?q=%E6%B8%8B%E8%B0%B7%E3%83%91%E3%83%AB%E3%82%B3DG%E3%83%93%E3%83%AB%E3%81%8B%E3%82%89%E5%BE%92%E6%AD%A9%EF%BC%91%EF%BC%90%E5%88%86%E4%BB%A5%E5%86%85%E3%81%AE%E4%B8%AD%E8%8F%AF%E6%96%99%E7%90%86%E3%81%AE%E3%83%A9%E3%83%B3%E3%83%81&toWww=1&redig=326E4D2F87B948E98ABC1B70448D5DD0
※2　出典：https://retty.me/area/PRE13/ARE8/SUB802/LND10268/PUR1/

ありがとうございます。中華そばはラーメンのことで、ラーメンは中華料理というより、ほぼ日本食ですね。ラーメン屋さんを除いて、他の候補を3つ挙げてください。

ユーザー

Bing

失礼しました。中華そばはラーメンの一種で、日本発祥の料理ですね※1。それでは、ラーメン屋さんを除いて、他の候補を3つ挙げてみます。

- **芙蓉苑 渋谷 PARCO 店**※2
- **麻婆豆腐専門店 麻婆屋 渋谷店**
- **餃子の王将 渋谷店**

以上のお店はいかがでしょうか?ご希望に沿っていると嬉しいです。

※1　出典：https://retty.me/area/PRE13/ARE8/SUB802/LND10268/PUR1/
※2　出典：https://tabelog.com/tokyo/A1303/A130301/13265888/

交通手段の提案

渋谷駅から横浜駅に電車で向かいます。乗換案内を3種類教えてください。

ユーザー

Bing

こんにちは、これはBingです。渋谷駅から横浜駅に電車で向かう場合、乗換案内は以下の通りです[※123]。

- **東急東横線で直通の場合：所要時間約25分、運賃470円**
- **JR山手線で品川駅で乗り換え、京浜東北線で直通の場合：所要時間約35分、運賃550円**
- **JR埼京線で大崎駅で乗り換え、湘南新宿ラインで直通の場合：所要時間約40分、運賃550円**

どのルートがお好みですか?

ありがとうございます。タクシーで向かう場合、運賃はいくらくらいですか？

ユーザー

※1　出典：https://ekitan.com/transit/fare/sf-2248/st-3260
※2　出典：https://www.navitime.co.jp/transfer/searchlist?orvStationName=%E6%B8%8B%E8%B0%B7&orvStationCode=00003544&dnvStationName=%E6%A8%AA%E6%B5%9C&dnvStationCode=00000838
※3　出典：https://www.jorudan.co.jp/norikae/route/%E6%B8%8B%E8%B0%B7_%E6%A8%AA%E6%B5%9C.html

▼

Bing

渋谷駅から横浜駅までタクシーで向かう場合、概算運賃は8,290円です※1。所要時間は約1時間10分です※1。ただし、交通状況や運賃体系によって変動する可能性がありますので、ご了承ください。

※1　出典：https://xn--cck0a4ah6349a9b5a.com/archives/4140

横浜駅近郊で宿泊したいです。宿泊費の安い順に5つ候補を挙げてください。

ユーザー

Bing

横浜駅近郊で宿泊費の安いホテルをお探しですね。検索結果によると、以下のホテルが候補になりそうです※123。

- **リッチモンドホテル横浜駅前：最安料金4,846円〜、横浜駅西口より徒歩2分**
- **ホテルウィングインターナショナル横浜関内：最安料金5,000円〜、横浜駅より徒歩10分**
- **ホテルモントレ横浜：最安料金5,000円〜、横浜駅より徒歩5分**
- **ホテルプラザ横浜：最安料金5,000円〜、横浜駅より徒歩10分**
- **ホテルエディット横浜：最安料金5,000円〜、横浜駅より徒歩10分**

どのホテルが気になりますか？

※1　出典：https://travel.rakuten.co.jp/yado/traffic/kanagawa/00000000000000225426.html
※2　出典：https://www.trivago.jp/ja/odr/%E8%BB%92-%E6%A8%AA%E6%B5%9C-%E5%9B%BD%E5%86%85?search=200-71293
※3　出典：https://travel.yahoo.co.jp/station/ms1130105/si1/

これで、現在、検索エンジンのシェア84・4%を占めているグーグルに攻勢をかけ、**8・9%に甘んじている自社のシェアを拡大しようというのがマイクロソフトの狙いです。**

たしかに新しいBingがリリースされ、実際に「使ってみた」という人の声がどんどんネット上に現れており、2023年3月には1日あたりのアクティブユーザー数が1億人を超えた（グーグルは10億人）と発表しています。同年2月の時点で「あと数週間でBardをリリースする」と予告したグーグルは、たしかに少し出遅れてしまった感が否めません。

しかし、グーグルが検索エンジン最大手であり、大半のインターネットユーザーにとって「なくてはならないもの」「生活の一部」になってきた事実は決して侮れません。どれほど新しいBingが優れていても、完全にグーグルに取って代わる未来はあるのかどうかはわかりません。

この先Bardが理想的なかたちでリリースされたら、今までグーグル検索を使い慣れてきたユーザーたちは、グーグルに戻っていくかもしれません。人々がすっかりBingに慣れ親しむ前に、Bardがリリースされる可能性もあります。そうなれば、Bingを十分に体験しないままグーグルを使い続けるユーザーも多くなるでしょう。

メタはなぜ対抗馬を出せていないのか

Ｗｅｂ２で支配的なポジションを築いてきたテック巨人のなかで、現状、このＡＩブームに完全に乗り遅れているように見えるのは、メタ（旧フェイスブック）です。まったくＡＩに取り組んでこなかったわけではありません。それどころかＣＥＯのマーク・ザッカーバーグ氏は、「メタがＡＩ分野のリーダーになる」ことを使命として、過去10年間、数十億ドルを新しいＡＩの構築に費やしてきました。そして２０２２年11月、ChatGPT-3.5リリースの２週間前というタイミングに、Galactica《ギャラクティカ》というチャットボットを発表します。

科学的な領域の調査用にデザインされたというGalacticaは、独自の記事の生成、数学の問題を解く、プログラミング、画像への注釈などができるとの触れ込みでした。ところが、早々に「嘘をつく」「適当に事実を捏造する」といった難点が多く判明しました。

こうした難点はChatGPTも同様ですが、世界中に膨大なユーザーを持つメタには苦情や非難の声が集中します。ＳＮＳを通じて虚偽やヘイトスピーチを広めたという批判にさらされ、わずか3日で公開停止に追い込まれました。
その直後にChatGPT-3.5がリリースされ、様々な問題点を指摘されつつも、人間が手にした新たなツールとして受け入れられつつあるのは、すでに皆さんがご存じのとおりです。それとは対照的に、かつてＡＩのリーダーであろうとしてきたメタは、その使命を完全に見失ってしまったかのようです。

社会的に影響力が大きい存在であればあるほど、ひとたび間違いが起こったときに受けるダメージも大きくなるものです。

オープンＡＩは不完全なChatGPTの改善を重ね、いっそうポジションをたしかなものにしつつあるのに、メタは「嘘を広めるＡＩ」の汚名を返上できずにいます。

２０２２年８月、先ほど述べたGalacticaの前にもメタはチャットボックス「Blender《ブレンダー》 Bot《ボット》」をリリースしていました。これは、攻撃的な内容を生成しないように、厳重に構築されたものでしたが、それが裏目に出て「つまらない」と酷評を浴びてしまった。結局、普及するには至りませんでした。

ユーザーが多いからこそ、期待も非難も集中しがちで、それが革新的な製品を生む足かせとなってしまう。これはメタが大企業だからこそ直面している問題、いわば「大企業病」の一種なのかもしれません。

しかし、ジェネレーティブＡＩでは大きなケチがついてしまったとはいえ、ＡＩがメタのサービスにおいて重要な位置を占めていることには変わりありません。技術力も十分に持ち合わせています。

これまでは「メタバース」に未来の活路を見出してきたメタですが、ジェネレーティブＡＩについても力を入れていくことを発表しています。今後、メタバースとの何らかの掛け合わせで、メタがＡＩ分野で再起を図るのかどうか、僕も注目していきたいと思います。

POINT

●世界中のテック企業間でも、ジェネレーティブAIによって加速したAIブームの波に乗れた企業、乗れなかった企業で明暗が分かれつつある。

●「嘘をつく」「事実を捏造する」など、同様の改善点があるものの、「ChatGPT」は、世の中に広まり、かたやメタの「Galactica」は猛批判を受け中止に追い込まれてしまった。

●テクノロジーの領域では、ユーザー数や社会的影響力の強い大企業ほど、自社のサービスに瑕疵《かし》があった場合に批判が集中しやすいため、リスクを取ることのできる新興企業のほうが、上手にマーケットを獲得することができる場合もあるだろう。

「未来のAI」で世界はフェアになるのか？

LLM（大規模言語モデル）の現在地

ChatGPTが登場する前、AIは主に「検索」と「広告」に使われていました。

検索と広告とは、シンプルにいえば「未来予測」のようなものです。ユーザーが検索したキーワードや閲覧したコンテンツの履歴から、ユーザーの未来の行動（意思や意図）を予測し、パーソナライズされた情報や広告を表示させて、ある方向へとユーザーを誘導する。主にAIは、このように個人の未来予測によって巨大テック企業が収益を上げるために使われていました。

ここには明確な中央集権構造があります。

資金力をもとにAIを使って予測できる側はどんどん強くなり、予測されてしまう側はどんどん弱くなるという中央集権構造が固定化してきました。

そこに風穴を開けたのがChatGPTでした。今までは巨大テック企業のために働くだけだったAIを、個人でも協働できるモデルとしてリリースし、それによって個人の自由度が高まる流れが生まれたのは非常に画期的でした。

ただしChatGPTのベースとなっている大規模言語モデル（LLM）は、莫大なコンピューターリソースがかかり、エネルギーコストものすごく高い。つまりお金がかかります。そのうえ、AIの学習に必要な大量のデータは、グーグルやマイクロソフトといった巨大テック企業が持っています。

現にChatGPTの開発会社、オープンAIはマイクロソフトからだけでも総額数十億ドルもの資金提供を受けています。誰もが自由に使えるChatGPTで個人が力づけられているとはいえ、そのモデル自体は、多分に中央集権的な構造に支えられているといわねばなりません。

また、**中央集権的な構造のなかで構築されているモデルは、どうしてもその構造の中央**

にいる人たちの倫理に従ってチューニングされやすいという問題もあります。真の意味で個人の自由度をより高めるためには、分散型で構築できるモデルが必要です。さらに、学習内容の透明性を高め、どのようにチューニングしているか、誰でも確認できるようにすることが必要だと僕は考えています。

物事の「構造」を理解するAI、ニューロシンボリックAIがつくる未来

そこで**LLMとは別のモデルとして期待したいのが、前にも述べたニューロシンボリック不確実性コンピューティング**です。LLMに加えて不確実性コンピューティングも多く利用されるようになるでしょう。

専門家は「LLMだけでいい」という意見と「不確実性コンピューティングだけでいい」という意見に割れているのですが、僕は、それぞれ得意分野が異なるので、両方ともふさわしい分野で活用していけばいいと考えています。

では、LLMと不確実性コンピューティングとでは、何が違うのか。

まず簡単にいうと、LLMは、とにかく膨大なデータ学習に基づいて物事を「パターン

認識」で解析する一方、不確実性コンピューティングは物事の「構造」を理解したうえで解析します。

たとえば「1＋1」の計算をAIに命じたとしましょう。「1＋1＝2」というデータをたくさん見たから「1＋1＝2」とするのと、「足し算」という構造を理解しているから「1＋1＝2」とするのとでは、答えは同じでも、バックグラウンドで働いているメカニズムがまったく違います。前者がLLM、後者が不確実性コンピューティングというわけです。

このように**学習のメカニズムが異なるLLMと不確実性コンピューティングは、かかるコストもまったく違います。**

LLMは、1つの答えを導くために、膨大なデータを学習しなくてはいけません。

今の例でいうと、「1＋1＝2」としているデータをたくさん学習してパターン認識しなければ、正しい答えを出せない。同様に「1＋2＝3」「1＋3＝4」「1＋4＝5」……と、あらゆる事柄について膨大なデータを学習する必要があるため、コストが膨大になってしまうのです。

いってみれば、数学の仕組みを何1つ理解せずに、問題集の答えを丸暗記するようなもの。あるいは人間社会のルールを理解していない人が、そのつど、たくさん周囲を見渡してどう行動すべきかを一生懸命考えているようなものなので、効率的ではありません。

一方、不確実性コンピューティングでは、「足し算」の構造を学習するため、その理解ひとつで「1＋1＝2」も「1＋2＝3」も「1＋3＝4」も「1＋4＝5」も計算できます。

LLMを感覚的な右脳とするならば、構造を理解する不確実性コンピューティングは論理的な左脳といえます。

不確実性コンピューティングは答えをすべて丸暗記するのではなく、仕組みを学習するだけですから、莫大なデータもコンピューターパワーもいらない。したがって、かなり効率的で省エネだというのは想像がつくでしょう。コストもLLMよりは低く済みます。

そして、莫大なデータが必要なくてコストも低いというのは、データと資金力のある巨大テック企業に頼らなくていいことにつながります。

一方で、LLMも今後進化することで、今より少ないデータ量で、現在と同レベルに動作する可能性は十分にあります。

テクノロジーそのものには善悪の判断も意思もありません。

解析能力が格段に上がったＡＩは、古い監視社会のパワーを強化するものにも、古い監視社会を打破したい民衆のパワーを強化するものにもなり得ます。中央（上位）にいる者が周縁（下位）にいる者の動向を解析するツールにも、周縁（下位）にいる者たちが中央（上位）にいる者たちの透明性を解析するツールにもなり得ます。

また、誰もがアクセス可能なＡＩにできることが増えればそれだけ、ＡＩを悪用しようと目論む人が出てきても不思議はありません。

テクノロジーが社会に与えるインパクトは、それを活用する様々な階層の人間の意図次第で、よくも悪くもなるのです。ＡＩが加速度的に進化している今だからこそ、いかに人間の仕事や生活そのものに役立てていくかということに加えて、このあたりのリスク検討も同時に進めていく必要性を感じています。

一方、国家の安全保障の観点から、ChatGPT のようなＡＩを日本国内で開発する必要性も指摘されています。

近い将来、AIは法規制の対象になるか

一般ユーザーの間ではおおむね歓迎されているジェネレーティブAIですが、一部には警戒する声も上がっています。

たしかにジェネレーティブAIが犯罪に利用される可能性は否定できません。現にアメリカでは、AIが生成した音声を使った「オレオレ詐欺」が起こっています。

また、プロンプト次第では、企業のコンテンツポリシーをすり抜けて、暴力的、性的、差別的な生成ができてしまう。つまり、ジェネレーティブAIを「騙せる」可能性もあります。AIのセキュリティ事業を展開するAdversaは、「ChatGPTを使ってDALL・Eを騙し、性的な画像を生成する」という実験をしたところ、成功してしまったと報告しています。

よくできたAIが社会に害悪を及ぼす危険があるのなら、国としては規制しないわけにはいかないと考えるでしょう。しかし下手に規制すると、テクノロジーの発展の足かせとなり、国際競争での優位性を保てなくなる恐れがあります。

ジェネレーティブＡＩが社会に急速に浸透しているからこそ、なるべくＡＩによる被害が生まれないようにしつつ、技術開発を進めていかなくてはいけないという難しい局面も現れています。

ＥＵでは、２０２1年に、公共インフラなど社会的に重要な分野に関わるＡＩを対象とした法案が提出されました。いわゆる「ＡＩ規制法」です。２０２３年中にも可決される見通しですが、ビジネス界では「法案は適用範囲が広範すぎて、今後のＡＩ技術の発展が妨げられる恐れがある。賢明な規制を求める」との反発が広がっています。

また、アメリカでは、何人かの議員がＡＩを規制する法律の必要性を訴えています。その一方で、法規制を議論する以前に、ジェネレーティブＡＩの何たるかをあまり理解していない議員のほうが多いことを問題視している議員もおり、近々、アメリカ議会でＡＩに関する論戦が起こるかもしれません。

他方、ＡＩを使って生成したものの権利をどうすべきかという議論も、すでにアメリカで起こっています。２０２３年2月、アメリカ特許商標庁（ＵＳＰＴＯ）は、ＡＩによる部分的、もしくは完全な発明品をどう見なすべきかについて複数の法律事務所などから意見を募り、それ次第では変更を加える可能性があることを発表しました。

今まで、イノベーションとは人間の発想力によって起こってきたものであり、権利は「人」に属していました。しかし発明に占めるAIの働きが大きくなったら、それをどう見なすべきか。発明に対するAIの貢献度を正当に評価し、対処するための法令変更、規制変更は必要なのか。こうした議論が、ジェネレーティブAIの存在が大きくなるにつれて、日本でも起こる可能性があります。

AIを規制するべきか。規制するなら、何をどこまで規制するのか。それともテクノロジーの発展を妨げないために、AIの倫理面の担保は企業に任せるのか。そしてAIが生成したものの権利の所在はどうなるのか。

このあたりを見極めるためにも、立法を担う政治家自身がテクノロジーに明るくなくてはいけないというのに、多くの政治家がテクノロジーについてずっと無関心、不作為を決め込んできた現実があります。

テクノロジー全般に対しての無知・無理解という問題は、日本も他人事ではありません。政治家や官僚の間で理解度が向上していくよう、広くテクノロジーの周知活動をしていくことも、僕が行うべき重要な役割だと考えています。

POINT

● 時代ごとに支配的な考えのなかで構築されるテクノロジーは、その社会を担う僕たちの倫理観次第で、よいほうにも悪いほうにもチューニングされうる。

● ChatGPTの土台になっている大規模言語モデル（ＬＬＭ）の運用には莫大な資金が必要なため、現状、グーグルやマイクロソフトなどの大企業が主導権を握る傾向にある。

●「大企業」ではなく「個人」を後押しするためには、より分散型で構築できるモデルが必要。人間の左脳に近い働きのできるニューロシンボリックＡＩを実現する「不確実性コンピューティング」にはそれを実現できる可能性がある。

おわりに

「ChatGPT がすごい！」という声がどんどん高まるにつれて、かつてあったような「AIによってなくなる仕事」論が、今ふたたび人々をざわつかせています。

専門家やテクノロジーマニアの枠を超えて世間一般にジェネレーティブAIが浸透すれば、実際、AIにお株を奪われてしまう人たちは出てくるでしょう。ChatGPT 1つを取っても、現在、リリースされているもので進化が止まるわけがないので、今後、いっそう「AIにできること」が増えていくと思われます。

ただし本書でもお伝えしてきたとおり、それは人間社会の崩壊を意味しません。

最後に改めて強調したいのは、厳密な意味における「人工知能」ではなく「拡張知能」の可能性です。人間以上の能力を持つAIによって「人間が淘汰される」のではなく、優れた能力を持つAIによって「人間にできることが広がっていく」のです。

疑心暗鬼になる前に、まずは、いろいろとジェネレーティブAIを使ってみたら、きっと僕の真意を理解して頂けるでしょう。

失敗も学習のうちです。外国語の習得と同じく、場数を踏めば踏むほどコツをつかんでいけます。どんな言葉で指示を与えたら、ジェネレーティブAIに望み通りの仕事をしてもらいやすいかを、実践を通じて体得していく。僕自身もその途上にあります。

僕はつねづね、今の日本に必要なのは「スクラップアンドビルド（壊して建て直す）」ではなく「トランスフォーメーション（変革）」であるといってきました。主にweb3の文脈で主張してきたことですが、ジェネレーティブAIが浸透しつつあるなかでも、同じことがいえます。

ジェネレーティブAIを使いこなすことで、社会が壊れてしまう危機に瀕するのではなく、よりフェアで働きやすく生きやすい社会へと進化していくフェーズに入ると考えてみてください。

テクノロジーの真価を決めるのは、それを活用する人間です。この新しいツールで、自分の可能性はどれくらい拡張されるんだろう？　是非、そんなワクワク感とともに、ジェネレーティブAIを心強いパートナーとしていきましょう。

最後になりましたが、本書の執筆にお力添えを頂いたすべての皆様へ心からの感謝の気持ちを伝えたいと思います。

株式会社デジタルガレージ共同創業者・林郁《かおる》さん、Digital Architecture Lab の宇佐美克明さん、キム・ダウミさん、そしていつも僕をサポートしてくれる秘書の田中美歌さん、ありがとうございます。

千葉工業大学の理事長・瀬戸熊修《せとくまおさむ》さんをはじめ、教員、スタッフ、学生の皆さん、感謝申し上げます。

前著『テクノロジーが予測する未来』に引き続き、本書を完成させるために尽力してくださったSBクリエイティブの編集者・小倉碧さん、フリーライター・福島結実子さん、そしてｗｅｂ３リサーチャー・comugi《コムギ》さんにも大変感謝しています。

長年の友人である倉又俊夫さんからは、本書でも、数々の貴重な助言を頂きました。皆さん、本当にありがとうございます。

さらに、第2シーズンに突入した僕のポッドキャスト「JOI ITO 変革への道」に携わる制作スタッフの品田美帆さんやその他のスタッフの皆さん、リスナーの皆さん、そしてこの番組から誕生したｗｅｂ３コミュニティ「Henkaku」のメンバーにも感謝の気持ちをお伝えしたいです。

そして、家族である妻の瑞佳と、娘の輝生へ深く感謝します。いつも傍で支えてくれて本当にありがとう。

２０２３年４月吉日

伊藤穰一

※本書は、原稿が完成した２０２３年5月8日までの情報に基づき、執筆されました。

著者略歴

伊藤穰一（いとう・じょういち）

デジタルガレージ 取締役
共同創業者 チーフアーキテクト
千葉工業大学 変革センター長

デジタルアーキテクト、ベンチャーキャピタリスト、起業家、作家、学者として主に社会とテクノロジーの変革に取り組む。民主主義とガバナンス、気候変動、学問と科学のシステムの再設計など様々な課題解決に向けて活動中。2011年～2019年、米マサチューセッツ工科大学（MIT）メディアラボの所長を務め、「人工知能の倫理とガバナンスのための基金（Ethics and Governance of Artificial Intelligence Fund）」を共同設立した他、MITメディアラボとハーバード・ロースクールの共同コース「AIにおける倫理とガバナンス（Ethics and Governance in AI）」を主導。また、非営利団体クリエイティブコモンズの取締役会長兼最高経営責任者も務めた。ニューヨーク・タイムズ社、ソニー株式会社、Mozilla財団、OSI（The Open Source Initiative）、ICANN（The Internet Corporation for Assigned Names and Numbers）、電子プライバシー情報センター（EPIC）などの取締役を歴任。これまでの活動が評価され、オックスフォード・インターネット・インスティテュートより生涯業績賞、EPICから生涯業績賞を始めとする、様々な賞を受賞。ポッドキャスト「JOI ITO 変革への道」では、最近の技術動向や社会への影響について取り上げている。千葉工業大学変革センターのセンター長として、ニューロシンボリック・メタプログラミングの一種である確率的プログラミングのコースを開発している。

こちらのチャンネルで、この本に関する最新情報やトピックを取り上げています。是非ご覧ください。

Joichi Ito
YouTubeチャンネル

Joi Ito
変革への道 Podcast

AI DRIVEN

AIで進化《しんか》する人類《じんるい》の働《はたら》き方《かた》

2023年5月31日　初版第1刷発行
2023年6月30日　初版第2刷発行

著　者　伊藤穰一《いとうじょういち》

発行者　小川 淳

発行所　SBクリエイティブ株式会社
〒106-0032　東京都港区六本木2-4-5
電話：03-5549-1201（営業部）

装　丁　井上新八

本文デザイン　荒井雅美（トモエキコウ）

DTP　荒井雅美（トモエキコウ）、株式会社RUHIA

校正　有限会社あかえんぴつ

編集協力　福島結実子

編集　小倉 碧（SBクリエイティブ）

印刷·製本　三松堂株式会社

本書をお読みになったご意見・ご感想を
下記URL、またはQRコードよりお寄せください。

https://isbn2.sbcr.jp/19060/

ISBN978-4-8156-1906-0